長良川学習

●● 美しい長良川で自然を学ぶ ●●

小椋郁夫・井上好章・古田靖志

目次

●●● 1

美しい長良川で自然を学ぶ

鵜飼で知られる長良川は、岐阜市街地を含む中流域が環境省の「名水百選」に選定されるほどのきれいな水を湛え、柿田川や四万十川とともに日本三大清流と謳われています。長年、本州で唯一「本流に堰の無い大きな河川」として知られてきましたが、平成６年に長良川河口堰が完成し、汽水域消滅や底生の変化などを引き起こし、生態系に大きな影響を与えました。とはいえ、幸いにも源流から堰がつくられた河口付近までの 150㎞以上にもおよぶ長い区間において、自然のままの川の様相がよく残されています。

長良川は、岐阜県郡上市高鷲の大日ケ岳付近に端を発し、岐阜県内をほぼ南北に流下し、三重県桑名市で揖斐川に合流します。その距離は 166㎞におよびます（国土交通省は、揖斐川との合流後の正式名称を「揖斐川」としていて、長良川は河口には到達していないことになっています）。

大日ケ岳の山腹を過ぎるあたりからの源流部では、山々を激しく下刻しながらＶ字谷のような深い谷底を形成して流れ、さらに上流部から中流部にかけては、谷底平野を形成しながら山間部を流下していきます。Ｖ字谷のような深い谷底を形成する区間が短いことや、山間部でも流域に谷底平野が続いていることなどから、地形的にダムをつくるのに適していないため、河口付近に建設された長良川河口堰の他にはダムや大きな堰がなく、上・中流部には本来の美しい河川の自然が残されています。

長良川の澄んだきれいな水は、数々の生き物をはぐくみ続け、母なる清流としての存在感を大きく示しています。美しい川の流れは、さらに流域の地形や豊かな植生を借景として味方につけながら、「長良川」という唯一無二の自然を形成しています。

平成 11 年に、東海北陸自動車道が名神高速道路一宮 JCT から荘川まで開通しました。東海北陸自動車道は、長良川の源流部である郡上市高鷲町から関市あたりまでほぼ長良川に併走しているため、長良川の源流部から中流部の関市まで東海北陸自動車道を利用して、それ以後は長良川の堤防道路を利用して、数時間の日帰りで長良川を最上流から河口付近までほぼ連続的に観察することが可能となりました。また、大きな河川であるにもかかわらず流域には河口堰以外の堰やダムがないため、自然状態における川原の形成や川原の礫の変化、生息する生き物の観察や流域の植生の変化など、自然観察の絶好のフィールドとなりました。すなわち、一本の大きな川の自然の変化を、上流から下流までほぼ連続的に追って観察することが可能になり、自然観察の新たな可能性が生まれることとなりました。

このような利点を積極的に利用して、私たちは長良川という生きた自然を教材として自然を学ぶ学習を考えました。長良川の自然の“変化を追う”確かな観察により、自然についての正しい認識を身に着けるための方途を提案してみました。

愛する長良川の豊かな自然にどっぷりとつかりながら、すばらしい自然の真実を楽しく学んでいただければ幸いです。

●● 2

「長良川」と「長良川水系」

木曽山地を源とする木曽川、奥美濃の大日ケ岳を源とする長良川、揖斐の冠山を源とする揖斐川。濃尾平野に集まり、やがて伊勢湾に注ぐこれら三つの大きな川を総称して木曽三川と呼んでいます。

木曽三川の大きな川が集まる河口近くは、歴史的に度重なる水害に悩まされてきた地域で、江戸時代の宝暦治水の工事や、明治時代のヨハネス・デ・レーケによる三川分流工事など、大規模な治水工事が行われ、現在の姿に至っています。

このように、かつては木曽三川が河口付近で一緒になっていたことからか、国土交通省は、長良川を一級水系「木曽川水系」の一部として位置づけており、行政的には「長良川水系」という呼び方をすることはありません。

しかし、私たちは長良川学習を行うに際して、

①長良川が、わが国を代表する大きな河川として独立性が高くシンボル的なイメージが強いこと

②現在は、長良川と揖斐川が合流して伊勢湾に注ぐまでに木曽川に合流することがないこと

③河口付近で揖斐川に合流するものの、基幹流路が長いほぼ独立した河川であること

などから、長良川の流域をあえて「長良川水系」と呼び、長良川水系のエリアを大きな学習対象とすることにしました。本書の中で「長良川水系」と記載しているのは、そういった理由によるものです。

川は上流から下流に向かって流れる一本の水路ではありません。大日ケ岳に端を発する長良川が河口付近において揖斐川と合流するまでに、何本もの支谷や支流が注ぎ込み、大きな本流を作りあげています。そういった隅々の支流まで観察の目を拡げること、すなわち、長良川水系全体を視野に入れた観察が、長良川の自然の本質を学ぶことに不可欠であると考えています。

長良川水系（木曽川水系長良川流域）の図
（国土交通省 cbr.mlit.go.jp/kisokaryu/ より）

●●● 3

自然観察で大切にしたい科学的スキルの「3つのパターン」

自然観察においては、どのような視点でどのように観ていくかということが大変重要となります。自然を科学的に観るために大切な“科学的スキルのパターン”を駆使して、自然を丁寧に観察することからすべてが始まります。例えば、「比較する」、「条件統一をする」、「変化を追う」、「関連づける」、「演繹的に推論する」、「帰納的に推論する」などです。そのような多様な科学的スキルのパターンを駆使した観察が、実際に目の当たりにする自然事象の確かな認識につながります。

自然を観察する際に大切にしたい科学的スキルとして、私たちは特に次の科学的スキルの3つのパターンを重視していきたいと考えました。それは、「他のものと比較して観察する」パターン、「変化を追って観察する」パターン、「他の事象と関連づけて考える」パターンです。これらのパターンを駆使して観察を行うことにより、自然事象を把握して、確かな自然認識へとつなげたいと考えました。

① 科学的スキルの3つのパターン「他の物と比較して観察する」

その物だけを見ても、なかなか特徴が見えてきません。他と比較することによって、見えなかった特徴が見えてきます。

② 科学的スキルの3つのパターン「変化を追って観察する」

その場所だけで、その瞬間だけ見ても特徴が見えてきません。時間的な変化、場所的な変化を追って観察し続けると、見えなかった特徴が見えてきます。例えば、川の水の流れに「普段の流れ」という言葉はありません。雨量や蒸発量により、絶えず流れの様相は変化しています。固定的な見方ではなく変化を追った動的な視点が、より確かな自然認識につながります。

③ 科学的スキルの3つのパターン「他の事象と関連づけて考える」

その事象だけを見ても「なぜそうなるのか？」が見えてきません。他の事象と関連づけて考えることによって、その理由に気づいたり、納得したりすることがあります。特に、自然環境の場合、周辺や流域の人間生活と関連づけて考えると、理由がわかることがあります。

さあ、この「科学的スキルの3つのパターン」を手にして、長良川の美しい大自然の中へ出かけてみましょう。どのような角度からでも構いません。3つのパターンを駆使して自然の観察を行い、自然事象を把握して、確かな自然認識をしてみると、きっと、今まで見えなかった自然の真実や本質が見えてくるにちがいありません。

●● 4

本書の活用の仕方

本書は、地学編、生物編、自然観察編の３編から構成されています。そのうち、地学編および生物編は、観察のポイントや観察内容の解説を記した「学習ノート」のページと、観察のテキストとなる「観察ノート」のページからなります。

観察内容となる55の項目は、「学習ノート」と「観察ノート」の両方からなるものと、読み物資料としての「学習ノート」のみからなるものがあります。

「学習ノート」のページと「観察ノート」のページの両方からなる項目については、まずは「学習ノート」のページを読んで、観察のポイントや観察内容についての理解を深め、その後、観察ノートに従って実際に観察を進めていくとよいでしょう。「学習ノート」のページのみ項目については、読み物資料として興味深く読める内容になっています。興味をもたれたら、さらに自分で実際に観察してみるのもよいでしょう。

本書を手に取られても、実際に長良川の現地まで足を運ぶ機会がない方もいらっしゃるかと思います。そういった場合には、ぜひ「学習ノート」のページを読み進めていただきたいと思います。

長良川に関する自然啓発書としても読み応えがある内容となっています。

（岐阜新聞社契約ヘリから）

地学編

●● 5

地学編

長良川の水や石や地形と向き合ってみよう

大地に降った雨の多くは、川となって地表を流れ、海まで至ります。その間、流れる水の作用によって大地が様々な様相に変化し、多様な河川地形を作り上げます。大地と水とが織りなすハーモニーが、美しい自然となって私たちの目の前に現れています。

山間部に端を発する河川は、大地の基盤となる岩石や堆積物を削り取り、途中、渓谷や滝や川原を形成しながら流下します。青く透き通った水と侵食された奇岩がつくる渓谷や、落差のある荘厳な滝の風景は、観光の名勝として注目を浴びることも少なくありません。

幸いなことに、清流長良川には、流域に多くの自然が残されています。上流域のＶ字谷渓谷や滝、中流域にかけて存在する美しい川原の数々、川原の多様な種類の礫。どれも見応えのある素晴らしい自然ばかりです。私自身、かつて長良川の川原の石灰岩の石ころの中に、化石がいっぱい入っているのを見つけた時にはすごく感動したのを覚えています。

本書では、長良川の様々な自然にスポットを当て、その本質が観察できるような内容を考えてみました。長良川の限られた親水域において、釣りをしたり泳いだり、バーベキューなどを楽しまれた人は多いのではと思いますが、自然そのものとじっくりと向き合って自然を観察するような機会は少なかったのではないかと思います。どうか、本書を利用しながら、まずは長良川の水や石ころなどの地学的な自然事象と向き合っていただき、自然の素晴らしさを再認識していただくきっかけになればと思います。

長良川の自然を心ゆくまで満喫していただくことを願っています。

1	ひるがの高原の分水嶺を観察しよう
観察場所	上流域　（ 郡上市高鷲町　ひるがの分水嶺公園 ）

観察のポイント

●他の事象と関連づけて考える　⇒分水嶺の存在を、地形と関連づけて考えることができる。

●他の事象と関連づけて考える　⇒川の流れを降った雨と関連づけて考え、川を１本の流れととらえるのではなく、水系という見方ができるようにする。

■分水嶺とは

降った雨が基幹流域（本流）に向かい、最終的に１つの川の河口に向かうエリアを**水系**といい、水系と別の水系の境を**分水界**といいます。分水界は山岳部のみならず平野部などいろいろな地形に見られ、特に山岳部の場合、分水界が山の尾根と一致していることが多いことから、**分水嶺**ともいいます。

わが国の分水嶺のうち、日本海側へ流れるか、太平洋側へ流れるかを分けるものを**中央分水嶺**と呼んでいます。

■ひるがの高原の分水嶺公園

岐阜県では、降った雨が日本海へ流れるか太平洋へ流れるかを分ける中央分水嶺が、奥美濃地方から飛騨地方にかけての山岳部に存在しています。

岐阜市と富山県高岡市を結ぶ国道 156 号は、郡上市高鷲町ひるがの高原（標高約８７５m）で中央分水嶺を通過します。高原の国道沿いに分水嶺公園が設けられ、大日ヶ岳方面から流れて来た水が太平洋側と日本海側に分かれて流れる様子がわかるように、人工的に水路や池が整備されています。ただし、ここが長良川本流の最源流というわけではありません。

写真のように、この小川を流れる水は、左側へ流れれば、長良川水系の中を流れ続け、三重県桑名市で揖斐川に合流し、およそ 170km 先の伊勢湾（太平洋）に注ぎます。

一方、右側へ流れれば、ダムが多い庄川水系の中を北に向かって流れ、115km ほど先の富山湾（日本海）に注ぐことになります。

ひるがの高原に整備された分水嶺公園

分水嶺公園の水の分かれ道

観察ノート	1	ひるがの高原の分水嶺を観察しよう	年　月　日

位置を確認しよう。

・ひるがの高原の分水嶺公園の位置を地図上で確認しましょう。
・分水嶺公園がどのような地形にあるのか、地形図で調べましょう。
・ひるがの高原の標高は＿＿＿＿＿＿＿m

ひるがの高原の分水嶺を観察しよう。

・太平洋側と日本海側に向かって流れる水は、それぞれどの方位に流れるのか、測定しましょう。

太平洋側（長良川水系）	→	流れる方位
日本海側（庄川水系）	→	流れる方位

・分水嶺の小川に、どのような生き物が見られますか。

地形図から分水嶺を見つけよう。

・下の地形図で、長良川水系を流れる河川には青色を、荘川水系を流れる河川には赤色を塗って、区別しましょう。
・下の地形図に、太平洋と日本海を隔てる**中央分水嶺**の位置を線で結びましょう。

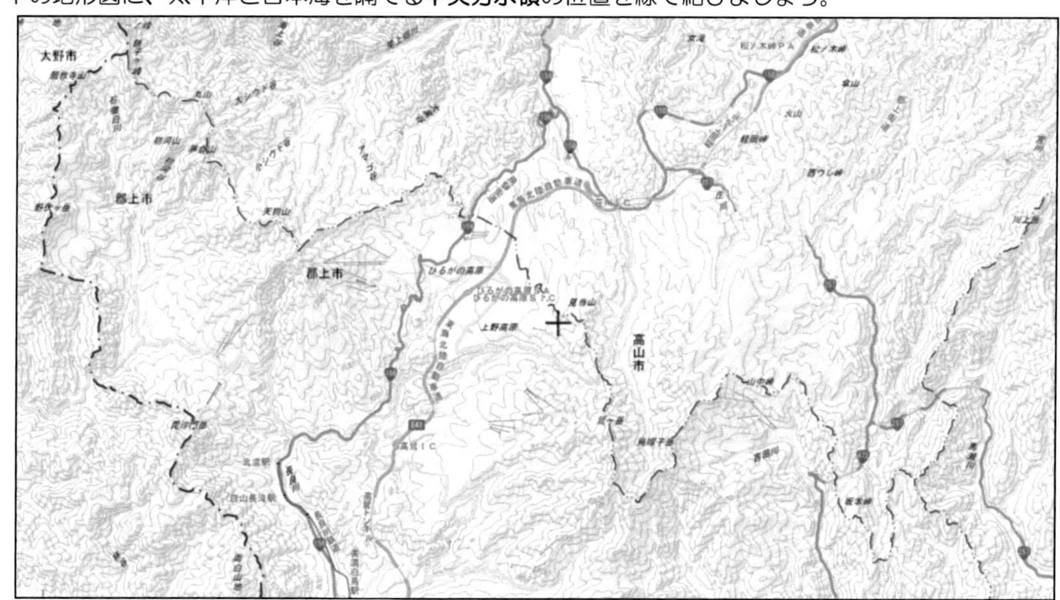

図　ひるがの高原付近の地形図（国土地理院 maps.gsi.go.jp/#13/35.983979/136.934452）

2	夫婦滝で「滝のでき方」を考える
観察場所	上流域　　（ 郡上市高鷲町　夫婦滝周辺 ）

観察のポイント

●他の事象と関連づけて考える　⇒滝ができる成因を地質や地形および水の働きと関連づけて考える。

滝とは何か

国土地理院によると、滝とは、「流水が急激に落下する場所で、落差が5m以上、常時水が流れているもの」と定義しています。落差が5m というのは、あくまでも国土地理院発行の2万5千分の1地形図に記載するものの基準であり、古くから景観的に滝と呼ばれてきたものの中には、5m を下回るものも少なくありません。また、落差日本一と称される富山県の称名滝のように、季節的に水のない時期の滝についても慣習的に「滝」と呼ぶこともあります。

滝ができるのはなぜか

滝のでき方は、言い換えれば「河床にどのようにして段差ができるか」ということになります。川の河床の段差の形成は、地層や岩石と、川の侵食作用が大きく関与しています。

滝の成因は、多様な観点から詳細に分類されています。主たる要因として、おおむね以下のように分類してみましたが、実際には、成因が複合している場合が少なくありません。

① 溶岩の末端の崖にできる滝

火山活動よって噴出した溶岩が流れ出て固まった先端部には、溶岩が急に冷やされることによってできる割れ目である節理が発達することがあります。例えば柱状節理は、割れ目の方向性から垂直方向に割れるため、それが川の侵食によって掘り出されると垂直の崖が形成され、そこへ水が流れると滝ができます。節理による垂直な段差ができるためには、溶岩層の中や下位に比較的侵食されやすい層が存在していることがポイントとなります。両者の間に水の働きによる差別的に侵食が進み、不安定な崖が形成されます。わが国に存在する大規模な滝の多くがこのタイプの滝です。

夫婦滝の成因もこのタイプです。大日ケ岳火山岩類の溶岩の末端部分の板状節理の発達した部分が侵食されて段差ができ、長良川の最上流部の落差17m の滝となりました。大日ケ岳火山岩類の溶岩層は火山砕屑岩層を挟んでいるため、両層の浸食力が異なることによって差別的に侵食が進み、崖ができました。また、滝の形成後も水の働きによって両層の差別的な侵食が上流方向に進行し続き、滝をU字状に崖が取り囲む地形が進行しつつあります。

夫婦滝

夫婦滝の段差に見られる節理

② 断層の存在によってできる滝

もともと地下に断層が存在していて、それが川の侵食作用によって掘り出されることによって河床に段差ができ、滝ができます。

③ 本流と支流の合流点にできる滝

特に山間部において、本流と支流の流量の違い等により侵食力に差が生じ、本流の河床が下方に刻まれていく（下刻される）ことによって、本流と支流との合流点に段差ができ、支流側に滝ができます。これは大地の隆起にも関係しています。

④ 河床の異なる岩石の侵食の度合いが異なることによってできる滝

河床に異なる岩石が存在するとき、岩石の硬さが異なることによって、川の水による侵食の度合いが異なり、やがて河床に段差が生じ、滝ができます。

⑤ 侵食されてできた川岸の崖などから地下水や温泉が湧き出し落下してできる滝

川の浸食によって川岸が崖となり、崖の岩石の間から地下水や温泉が湧き出し、勢いよく流れ落ちてできる滝です。伏流水が豊富な場所では、横に拡がるような形態のものが多く見られます。

夫婦滝を詳しく見てみよう。

・夫婦滝の段差をつくっている大日ヶ岳火山岩類をじっくり観察し、特徴を記録しましょう。

・夫婦滝の案内看板をつくるための説明文章を考えてみましょう。

夫婦滝は、

3	夫婦滝の川原で「最上流部の礫」を観察しよう
観察場所	上流域　（郡上市高鷲町　夫婦滝周辺）

観察のポイント

●他のものと比較して観察する　⇒周り全体を見て、礫の形や大きさを他の多くの礫と比較しながら観察する。

●変化を追って観察する　⇒今後、下流へと礫の変化を観察する基準データとして認識しておく。

●他の事象と関連づけて考える　⇒源流からの距離と礫の大きさや形を関連づけて考察する。

夫婦滝

大日ヶ岳に端を発した長良川は、わずか３～４㎞で夫婦滝にたどり着きます。二筋の滝が 17m を落下する姿は壮観で、長良川最上流部のシンボル的な存在となっています。滝の下には滝壺ができ、その下流側には川原が形成されています。

夫婦滝

夫婦滝周辺の礫の観察

滝下や滝壺周辺の川原に存在する礫は、最上流部の川原の礫であり、ここでの礫の観察は最上流部の川原の礫の姿を正しく認識するために、大きな意義があります。

〈最上流部の礫の大きさの観察〉

・川原に礫の大きさに注目して観察すると、長径が数mの大きさのものから小石や砂まで、様々な大きさの礫が存在することがわかります。大きい礫は目立つので遠くから見ると大きな礫ばかりからなる川原という印象を受けますが、実際に目の当たりに観察すると、数的には小さな礫の方が圧倒的に多いことがわかります。

〈最上流部の礫の形の観察〉

・礫の形に注目して観察すると、この川原には角ばった形の**角礫**と、円い形の**円礫**とが混在しています。

・さらに周りの状況を詳しく観察すると、川の左岸右岸の崖と、滝を形成している崖の三方から岩石が崩落して、川原に角ばった礫が次々と供給されていることがわかります。崖が崩れる際には、巨大なものから小さなものまで様々な大きさの角礫が生成され、いずれもが河川に供給されています。

・丸い礫は、滝から下流側に少し離れたところに存在しており、増水時に滝のわずか数㎞上流から流れてきて、滝から勢いよく落下してきたものであることが容易に推測できます。

〈注意点〉

・観察する時はヘルメットを着用し、崖からの落石に注意するため、崖に近づかないようにしましょう。

川原の観察からわかること

・川原にあるのは同じ大きさの礫ばかりではなく、最大粒径以下、様々な大きさの礫が存在している。

・同じ川原でも、礫の形（円磨度）はみな同じとは限らない。

・礫は、長い距離を移動しなくても、わずか３～４㎞流れるだけで円い円礫になる。

・川原の礫の形（円磨度）は、上流からの距離ではなく、礫が供給された地点からの距離によって決まる。

観察ノート	3	夫婦滝「最上流の川原の礫」の観察	年　月　日

位置を確認しよう。

- 地図上で位置を確認しましょう。
- ここは大日ヶ岳の長良川の源流（流れはじめる場所）から 約＿＿＿＿＿km の地点です。
  長良川の最上流に当たります。

夫婦滝の下や、滝の下流にある川原の礫を観察しよう。

※ なるべく、たくさんのものを見て、比較しながら観察しましょう。
※ 先入観にとらわれずに、自然のありのままの様子を正しく観察し、記録しましょう。

① 礫の形は	
② 礫の大きさは	
③ 礫の分布は （スケッチしよう）	図の中に、丸い礫と、角張った礫を描き入れてみましょう。
④ 岩石の種類は	

観察から明らかになったこと

夫婦滝での礫の観察から、川の上流の礫についてどんなことが言えるでしょうか。

- 上流の礫の形は＿＿＿＿＿＿＿＿
- 上流の礫の大きさは＿＿＿＿＿＿＿＿
- 礫が生成される場所の礫は＿＿＿＿＿＿＿＿

4	長良川の本流はどっち?
観察場所	上流域　（郡上市高鷲町西洞　叺谷と本谷合流点）

観察のポイント

●他のものと比較して観察する　⇒２つの川（谷）を、矢本流・支流の決め方の観点から比べて、総合的に判断する。

本流と支流の決め方

川を水系で見ていくと、谷と谷が合流して大きな谷に、谷と川や、川と川が合流してさらに大きな川となって、最終的に海へ注いでいきます。

２本の谷や川が合流するとき、どちらか一方が本流で、もう一方が支流ということになります。それでは、合流点において、本流と支流はどのように決められるのでしょうか。基本的には、次のような観点と照らし合わせて決められることになっています。

① 合流点より上流側の距離が長い方が本流
② 合流点での河床面の低い方が本流
③ 合流点における流量の多い方が本流
④ 旧流路や、名前、故事来歴などにより、本流とした方が妥当な場合（科学的な見地ではないが）

長良川の本流はどっち？

長良川の本流を上流に向かってたどって行くと、最上流部である郡上市高鷲町西洞地内で大きく２つに分かれます。一方は、北西へ折れ曲がり、夫婦滝を経て、大日ヶ岳（標高 1709m）に向かう叺谷（かますだに）、もう一方は、東方へ曲がり、見当山（標高 1352m）へ向かう本谷（ほんだに）です。

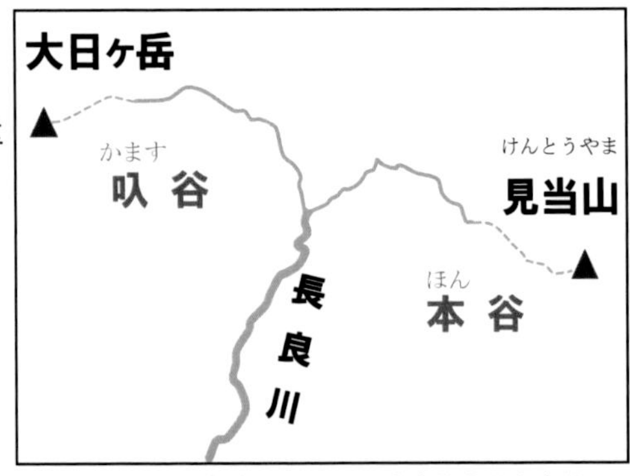

図　郡上市高鷲町西洞で分岐する叺谷と本谷

現地で調査をすると、分岐点から源流部までの距離はほとんど同じで、水量もほぼ同じ、合流点での河床面の高さも差はなく、長良川の本流をどちらにするのか、意見が分かれるところです。

見当山へ向かう本谷は、「ほんたに」と言うぐらいであるので、こちらが本流のような気もしますが、国土交通省は叺谷を本流としています。詳しい理由は述べられていませんが、本谷がゴルフ場や別荘地内を流れるのに対して、叺谷は高くそびえる大日ヶ岳を源流とし、流域には夫婦滝や駒ケ滝などの景勝地を有していることから、長良川の源流のイメージづくりに都合がよいからかもしれません。

叺谷と本谷の合流点（高鷲町西洞地内）

観察ノート	4	どちらが本流か見分けよう	年　月　日

位置を確認しよう。

・ 地図上で位置を確認しましょう。

・ 長良川 と 栗巣川 の合流地点

川の合流点で、どちらが本流でどちらが支流か、判断してみよう。

・下の「本流・支流の定義」をもとに、根拠をあげて判断しましょう。

① 合流点より上流側の距離が長い方が本流
② 合流点での河床面の低い方が本流
③ 合流点における流量の多い方が本流
④ 旧流路や、名前、故事来歴などにより、本流とした方が妥当な場合
（科学的な見地ではないが）

観察した結果

①について

②について

③について

④について

インターネット等で調べたこと

結論

・＿＿＿＿＿＿川が本流だと判断した。

長良川と栗巣川の合流点

5	長良川の「川原の礫」が生まれる場所
観察場所	上流域～　（郡上市高鷲町夫婦滝～美濃市洲原神社付近）

観察のポイント

- ●他のものと比較して観察する　⇒　１つの崖に見られるたくさんの礫の形や大きさを比較しながら観察する。
- ●変化を追って観察する　⇒　山間部の最上流から中流域まで、源流からの距離の変化を追って観察する。
- ●他の事象と関連づけて考える　⇒　礫が供給される崖と川の位置とを関連づけて考える。

■川原の礫はどこからやってくるのだろうか

川原や川底にある「石ころ」のことを礫（れき）といいます。川原にたくさん存在する礫は、上流から「どんぶらこ、どんぶらこ」と水に運ばれてやっくるというイメージがありますが、それでは一体、川原に存在する礫はどこで生まれるのでしょうか。

■礫が生まれる場所「礫の供給地」を見つけよう

礫が生まれる場所というのは、礫が川の外から川へ入り込む場所です。すなわち、川岸の崖などの斜面が崩れて、石や土砂が直接川に入り込む場所にあたります。

- 川沿いの崖崩れの場所　→　礫が生まれる場所
- 崖から崩れた石や土砂　→　供給された礫

礫が供給される場所である夫婦滝

■礫の供給地の様子を観察しよう

〈崖の様子〉

- 礫が供給される崖の様子を、川の位置と関係づけながら、詳しく観察しましょう。

〈崖から供給される礫の形や大きさ〉

- 崖から崩れ落ちて川に入ってくる礫の形や大きさを、詳しくありのままに観察しましょう。

〈注意点〉崖の近くへ行かないようにしましょう。

礫が供給される美濃市洲原神社付近

■礫の供給地の観察からわかること

- 源流からの距離に関係なく、崖から供給される礫の形は、角ばった形をしています。崖の地層によっては河床礫のような円礫を含むことがあり、最初から円礫が供給される場合もあります。
- 崖から供給される礫の大きさは、大きなものから小さな土砂まで、さまざまです。

観察ノート	5	「川原の礫」が生まれる場所の観察	年　月　日

■位置を確認しよう。

・ 地図上で観察場所の位置を確認しましょう。

■川原の礫が生まれる場所（供給地）を観察しよう。

〈注意点〉崖の近くへは立ち入らないように、崖から距離をおいた安全な場所から観察しましょう。

	ポイント① **（郡上市 夫婦滝付近）**	**ポイント②** **（美濃市 洲原神社周辺）**
① 崖のようす ・崖と川の位置関係 ・崖から崩れる物の正体 ・崩れた物が川に入るか		
② 崖から川に供給される礫の大きさ ・礫の大きさは皆同じか、崩れてくる物全体を観察しよう。		
③ 崖から川に供給される礫の形は ・礫の形は皆同じか、崩れてくる物全体を観察しよう。		

■観察から明らかになったこと

崖から供給される礫の大きさ	
崖から供給される礫の形	源流からの距離に関係なく、

6	長良川の水質を観察しよう
観察場所	上流域～下流域、河口の各地点

観察のポイント

●他のものと比較して観察する　⇒　手法の異なる観察結果を比較して、考察する。

●変化を追って観察する　⇒　上流から下流、さらには河口へと位置的な変化を追って観察する。

●他の事象と関連づけて考える　⇒　水質を、人の暮らしの影響や、天気などの自然現象の影響と関連づける。

■水質を観察しよう

川の魅力は、何と言っても水の美しさでしょう。美しい川の代名詞のように「清流長良川」と言われますが、実際に自分で水質を観察し、長良川の真実を見てみましょう。上流から下流までのいくつかの地点で、変化を追って水質を観察することによって、新たな発見を期待したいものです。

■水質の観察の方法

〈まずは自分の五感で観察する〉

• 川の水量が増水しているか、平常時の水量か（増水していると水質が大きく違ってきます。）
•水の透明さ、色、濁り具合（透明できれいな水は赤い波長の光の吸収により緑色に澄んで見えます。）
• 水の臭い（工業排水等が混入すると異臭がすることがあります。）
• 水面にできる泡のようす（家庭排水等が混入すると、有機物による壊れにくい泡が発生します。）

〈測定機器で調べる〉

• 水温（流域の温度の変化を測定します。川岸ではなく、水の流れがある場所で測定します。）
• パックテスト（目的に応じたテスト内容を選択し、正しい方法を理解した上で測定しましょう。）
• pH（酸性アルカリ性の測定。複数の場所で測定します。事前に測定機器を補正しておきましょう。）
• 塩分（海水が混入しているかどうかを測定します。河口堰の上流と下流等、数カ所で測定します。）

〈水生昆虫で調べる〉

• カワゲラウオッチングなど、水生昆虫を生物指標とした水質観察（生物分野の項を参照。）

〈注意点〉川に流されない安全な場所で観察しましょう。すべりにくい履き物で観察しましょう。

■水質の観察で大切なこと

水質の観察にはいろいろな方法がありますが、<u>いきなり測定機器で計測したり、パックテストなどで観察したりするのではなく、まずは自分の五感でしっかりと観察することが大切です</u>。カワゲラウオッチングなどを行う場合も同様です。

さらに重要なのは、<u>様々な観察結果をお互いにクロスチェックして、観察の整合性を確認するなどの考察を行うこと</u>です。「木を見て森を見ず」に例えられるような観察になっては、本当の姿を見極めることができません。

観察ノート	6	長良川の水質を観察しよう	年　月　日

位置を確認しよう。

・ 地図上で、現在の観察場所の位置を確認しましょう。

長良川の上流から下流へと変化を追って水質を観察し、結果を記入しましょう。

	最上流部	上流部	中流部	下流部	下流部	河口部
	①郡上市 夫婦滝	②郡上市 長滝	③関市 千疋大橋	④海津市 千本松原	⑤桑名市 河口堰	⑥桑名市 河口付近
透明感・色						
水の臭い						
水面の泡の量						
泡が消えるまでの時間	秒	秒	秒	秒	秒	秒
水温　℃	℃	℃	℃	℃	℃	℃
pH						
塩分　%	%	%	%	%	%	%
パックテスト （　　　）						

観察から明らかになったこと

・長良川の水質を上流から下流へと変化を追って観察した結果、どんなことが言えるか考えましょう。

①
②

7	川が曲がる場所に見られる攻撃斜面とポイントバー
観察場所	中流域　（ 郡上市白鳥町～岐阜市内 ）

観察のポイント

●他のものと比較して観察する　⇒　川が曲がる場所の外側の地形と内側の地形の様子の違いを比較して観察する。

●他の事象と関連づけて考える　⇒　攻撃斜面やポイントバーの成因を、川の流れる勢いと関連づけて考える。

■「攻撃斜面」、「ポイントバー」とは

川原ができるような中流域において、川が大きく曲がる場所では、カーブの外側は増水時の激しい水の流れによってけずられた状態になります。このような、川岸のけずられた状態の斜面を**攻撃斜面**といいます。攻撃斜面と川を挟んだ反対側（カーブの内側）には、カーブに向かって突き出したような川原が形成されます。これを**ポイントバー**といいます。川がカーブするような場所では、一般的には攻撃斜面とポイントバーが対をなして形成されます。

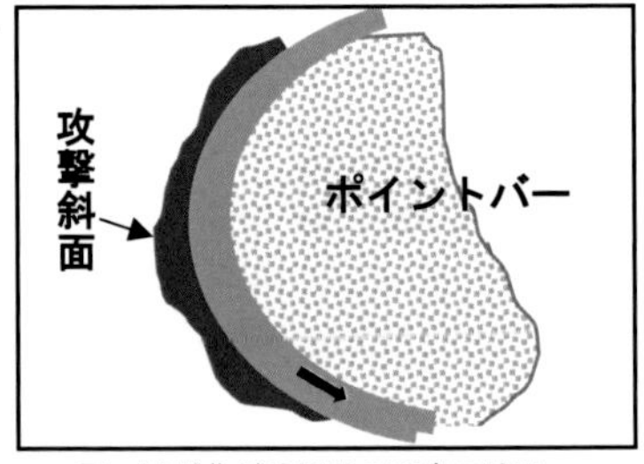

図　川が曲がる場所の両岸の地形

■中流域で、川が曲がる場所の地形を観察する

川が曲がる場所で、川の両岸が観察できる場所を探し、両岸の地形の違いを観察しましょう。

〈攻撃斜面：カーブの外側の川岸の観察〉

- 川岸は岩肌や土砂がむき出しになった崖になっている。
- 川岸はブロック等で護岸工事がなされている。
- 川岸はテトラポットが置かれている。

〈ポイントバー：カーブの内側の川岸の観察〉

- 川岸には川原が広がっている。
- 川原の形は、カーブに突き出たような形になっている。

ポイントバーと攻撃斜面のようす（岐阜市）

■両岸の地形の違いを、増水時の水の働きと関連づけて考える

- なぜ、カーブの外側には崖ができ、内側には川原ができるのか、水の流れと関連づけて考える。
- 攻撃斜面やポイントバーは、川の水の流れがどのようなときにできるのか、エネルギーを基に考える。

増水時には、川が曲がる場所では、水の流れる勢い（水のエネルギー）の違いによって、水の流れが速くエネルギーの大きなカーブの外側では川岸を激しく削るため、崖（攻撃斜面）ができます。反対に、カーブの内側では、水の流れが遅くなり、運搬してきた礫を堆積させるためポイントバーができます。

■Google Earth を利用して、ポイントバーと攻撃斜面の様子を調べる

Google earth で長良川を見て、川が曲がっている多くの場所で攻撃斜面やポイントバーが存在していることを確認してみましょう。また、テトラポットが置かれている位置等について考えましょう。

観察ノート	7	中流域の川が曲がる場所の地形	年　月　日

■川が曲がっている場所の両岸のようすをスケッチしよう。

■川が曲がっている場所の<u>外側の川岸</u>はどのようになっていますか。

川

➡

・テトラポットやブロックの有無

■川が曲がっている場所の<u>内側の川岸</u>はどのようになっていますか。

川

➡

・テトラポットやブロックの有無

■Google Earth で川が曲がる場所の地形について調べ、共通している点をまとめよう。

8	名水百選と清流長良川
観察場所	中流域　（ 長良川中流域の美濃市、関市、岐阜市 ）

観察のポイント

●他の事象と関連づけて考える　⇒　川の美しさを、流域の人々の暮らしと関連づけて考える。

■名水百選とは

日本の湧水や地下水、地表水などについて、優れたものを再発見し、それらを広く紹介することで水環境への認識を深めたり普及を図ったりすることを目的として、旧環境庁は昭和 60 年に「名水百選」を選定しました。選定基準は次のようです。

－名水百選の選定基準－

① 水質、水量、周辺環境、親水性の観点からみて状態が良好である。
② 地域住民等による保全活動がある。

これら①②を必須条件とし、他に、

③ 規模
④ 故事来歴
⑤ 希少性、特異性、著名度など

名水百選の長良川中流域（岐阜市）

さらに、平成 20 年に環境省は、水環境保全の一層の推進を図ることを目的に、「平成の名水百選」を選定し、双方を併せると名水 200 選となりました。このようにして選定された全国の名水は、名水のシンボル的な存在としてその名が知られているとともに、水環境の保全運動にも一役買っています。

ただし、「選定された名水」＝「安全でおいしい水」という訳ではなく、必ずしも飲用に適しているものとは限らないので、飲用の場合は十分に注意する必要があります。また、かつては飲用できたものであっても、選定から数十年の月日を経て環境が悪化し、飲用不向きになっている場合もありますので、あわせて注意が必要です。

■長良川は名水百選に選ばれている！

長良川は、四国の四万十川や静岡県の柿田川などとともに、中流域（美濃市、関市、岐阜市を流れる部分）が名水百選に選ばれています。特に岐阜市のような 40 万都市の中心部を流れる大きな河川が選ばれたことは、清流と呼ばれるのに値する美しい河川であることを物語っています。

岐阜市の長良橋のすぐ上流付近は伝統的な鵜飼が行われる場所ですが、同時に古くから市民の水泳場として親しまれてきました。長良橋から上流約 1km までのエリアは、1998 年（平成 10 年）に環境庁の「日本の水浴場 55 選」、2001 年（平成 13 年）には、「日本の水浴場 88 選」に、全国で唯一河川の水浴場が選定され、清流長良川が 40 万市民の憩いの場となっていることを物語っています。

岐阜県内の名水百選

岐阜県内で「名水百選」を選定されているのは、「長良川中流域」のほか、郡上市八幡町の「宗祇水」、養老町の「養老の滝・菊水泉」です。

また、「平成の名水百選」に選定されたのは、下呂市の「馬瀬川上流域」、郡上市の「和良川」、岐阜市の「達目洞（逆川上流）」、大垣市の「加賀野八幡神社井戸」の４カ所です。

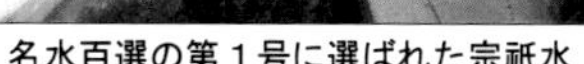

名水百選の第１号に選ばれた宗祇水

名水百選の養老の滝・菊水泉

平成の名水百選加賀野八幡神社井戸

岐阜市の水道水は、名水 100 選長良川のミネラルウォーター！

昭和 60 年、岐阜市の水道水は、旧厚生省の「水道水のおいしい都市 32 選」に選定されました。これは、「人口 10 万人以上の都市で、市民の大半がおいしい水を利用できる都市」を選定したものです。

岐阜市の水道水は、令和 3 年現在、長良川流域や近辺の 18 カ所の水源地より長良川の伏流水や地下水を採取して、水道水として供給しています。長良川の伏流水は、深さ 20m ほどの浅い井戸（浅井戸）より採取し、地下水は、深さ 100m ほどの深い井戸（深井戸）より採取しています。地下水といっても、もともとは長良川や支流の河川水に由来する部分も大きく、おおむね長良川の名水を飲用していると言っても過言ではありません。水道水の水源地から採水された天然水は、ペットボトル入りのミネラルウォーターとしても製造されているぐらいで、天然のミネラルウォーターともいえる品質の名水が岐阜市民に供給されています。

表　旧厚生省が定めたおいしい水の水質要件と鏡岩水源地の水道水の水質数値表（平成 29 年 4 月）

区　分	蒸発残留物 (mg/ℓ)	硬度 (mg/ℓ)	遊離炭酸 (mg/ℓ)	過マンガン酸カリウム消費量 (mg/ℓ)	臭気強度 (TON)	残留塩素 (mg/ℓ)	水温 (℃)
おいしい水の水質要件	30～200	10～100	3～30	3以下	3以下	0.4以下	20以下
鏡岩水源地の水道水	44	21	5.2	0.5	1未満	0.4	14.0

（岐阜市上下水道事業部「岐阜市の水道」より引用）

9	長良川流域の温泉　-どうして温泉が湧くのか-
観察場所	上流域〜下流域

観察のポイント

●他の事象と関連づけて考える　⇒　長良川流域に温泉がある訳を、地質的な特徴と関連づけて考える。

■長良川流域の温泉

本流にほど近い支流域を含めた長良川流域には、牧歌の里温泉（郡上市高鷲町）、湯の平温泉（郡上市高鷲町）、ふたこえ温泉（郡上市高鷲町）、満天の湯（郡上市高鷲町）、美人の湯しろとり（郡上市白鳥町）、やまと温泉（郡上市大和町）、郡上温泉（郡上市八幡町）、日本まん真ん中温泉（郡上市美並町）、湯の洞温泉（美濃市立花）、武芸川温泉（関市武芸川町）、長良川温泉（岐阜市）、安八温泉（安八町）、羽島温泉（羽島市）、海津温泉（海津市）、長島温泉（愛知県桑名市）など、たくさんの温泉が存在しています。特徴は、一部を除いて、「美人の湯」と呼ばれるような、肌がつるつるになるお湯が多いことです。

■どうして火山もないのに温泉が湧くの？

噴気を出しながら活動を続けているような火山でもあれば、温かい温泉が湧くのもなんとなく納得できますが、長良川流域には、上流域の古い時代の火山以外は存在しません。火山とは全く関係なく温泉が湧いていることになります。それでは、この流域に点在する温泉はどうして湧いているのでしょうか。

火山のない地域では、一般的に、地下へ 100m 深くなると、温度がおよそ3℃程高くなる（**地下増温率**）ことが知られています。長良川流域の温泉は、古くから存在している一部の冷鉱泉を除いて、ほとんどが近年 1500m 前後の深さまで掘削（ボーリング）して、地下深くに貯えられている地下増温率によって温められた温泉水（**深層熱水**）を汲み出しています。

地温勾配のメカニズムがあるので、どこでも掘削すれば温泉が得られるかというと、そうでもなく、地下に割れ目や断層、破砕帯、水を含みやすい帯水層などが存在して、豊富な地下水が貯えられていることが不可欠です。掘削したものの、温泉が出なかったという事例もあり、温泉掘削はリスクをともなうため、掘削場所の選定には十分な調査が必要となります。

長良川沿いから湧出する湯の平温泉

長良川沿いから湧出する郡上温泉

■長良川流域や周辺の温泉は何ｍ掘って、何℃の温泉が湧き出しているのか

長良川流域やその周辺の温泉の掘削深度は以下のようです（2022 年現在の HP 等データによる）。

温泉	掘削深度	温度	泉質
・牧歌の里	不明ｍ 掘削……	38.0℃	単純温泉
・ふたこえ温泉	1200m 掘削……	38.0℃	ナトリウム－炭酸水素塩・塩化物泉
・湯平温泉	不明ｍ 掘削……	25.6℃	ナトリウム－炭酸水素塩・塩化物泉
・やまと温泉	不明ｍ 掘削……	40.5℃	ナトリウム－塩化物泉・炭酸水素塩泉
・郡上温泉	不明ｍ 掘削……	32.4℃	アルカリ性単純温泉
・まん真ん中温泉	不明ｍ 掘削……	27.2℃	単純温泉
・武芸川温泉	1500m 掘削……	29.1℃	ナトリウム－炭酸水素塩・塩化物泉
・安八温泉	1500m 掘削……	30.2℃	ナトリウム－塩化物泉
・養老温泉	1700m 掘削……	40.5℃	ナトリウム・カルシウム－塩化物泉
・羽島温泉	1300m 掘削……	38.3℃	カルシウム・ナトリウム－塩化物泉
・海津温泉	1400m 掘削……	46.1℃	ナトリウム・カルシウム－塩化物泉

■つるつるの温泉が多いわけ

先にも述べましたが、長良川流域や周辺の温泉の特徴は、「美人の湯」と呼ばれるような、肌がつるつるになる温泉が比較的多いことです。泉質は、重曹成分で特徴づけられるアルカリ性単純温泉や、単純温泉、Na^{+}- HCO_3^{-} 泉（重曹泉）などです。入浴によって肌が「つるつる」とか「ぬるぬる」などと表現されるような感覚になることは、温泉の中に含まれる炭酸水素ナトリウム（重曹）や、炭酸ナトリウムなどの水に溶けてアルカリ性を示す成分が、皮膚の表面の皮脂やタンパク質などと反応して石鹸のような成分を生成する乳化作用によるものと思われます。

長良川流域にある、いわゆる「つるつるの温泉」の共通点は、つるつるの原因が、ナトリウムイオンや炭酸水素イオンによる重曹成分によると考えられること、いずれも 1000m 以上のいわゆる大深度掘削の温泉であること、地下の至近エリアに炭酸カルシウムを成分とする石灰岩などの岩石が分布している可能性があることなどです。「つるつるの温泉」が生成されるメカニズムとして、次のような仮説が考えられます。

①地下の石灰岩等の岩石から、炭酸カルシウムがとけて、地下水にカルシウムイオンが含まれる。

②地下の岩石に含まれる粘土鉱物などが、カルシウムイオンを含んだ地下水と接触して、カルシウムイオンとナトリウムイオンが陽イオン交換を起こす。

③陽イオン交換により地下水中のカルシウムイオンが取り除かれると、カルシウムイオンに対して飽和状態でなくなるので、岩石から再び炭酸カルシウムが溶け出す。これを繰り返し、地下水中に徐々にナトリウムイオンと炭酸水素イオンが増え、Na^{+}- HCO_3^{-} 泉（重曹泉）または 重曹を主成分とするアルカリ性の単純温泉が生成される。

反応がストップせずに地下深くにおいて重曹成分の温泉が生成されるためには、地下水が長い距離を移動して、常に新しい岩石と接触し続ける条件が必要となり、1000m 以上の掘削はその条件を満たすのに好都合です。1000m 以上の深い掘削により美人の湯が生まれたようです。

10	川原の礫のインブリケーション
観察場所	中流域　（郡上市八幡町～岐阜市）

観察のポイント

●他の事象と関連づけて考える　⇒　インブリケーションの成因を、水の働きを関連づけて考える。

■インブリケーションとは

インブリケーションとは、川の流れによってできる礫の堆積構造の一つで、ある程度の大きさの礫が、川の水の流れの向きに沿って一定方向に傾いて並ぶことをいい、**覆瓦構造**（ふくがこうぞう）ともいいます。

増水時に、礫は水の流れの働きによって下流側へ転がり、できるだけ抵抗が少なくなるような安定した状態で止まろうとします。その結果、瓦を重ねた屋根のように、川原の多くの礫が平らな面を上流側に傾けて並ぶことになります。

増水時といっても、あまり流れが強すぎると礫が下流へ流されてしまいます。あくまでも、転がって来た（転動して来た）礫が安定した状態で止まって堆積するぐらい水の勢いのもとで形成されます。

地層の中に含まれる礫にインブリケーションが認められることもあります。このことから古流向（地層が堆積した時代の川の流れる方向）や水のエネルギーを推測することもできます。

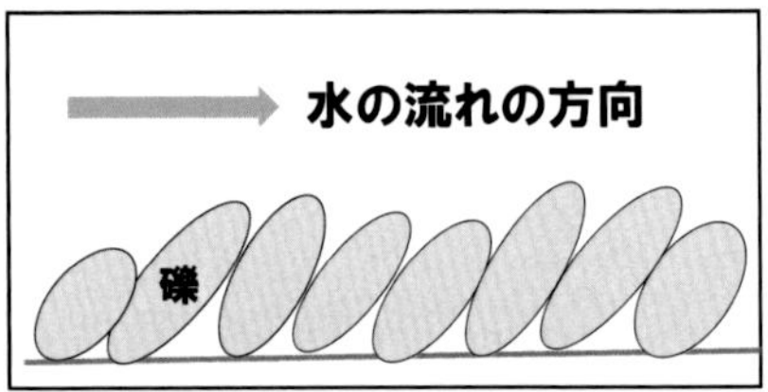

図　インブリケーションの構造

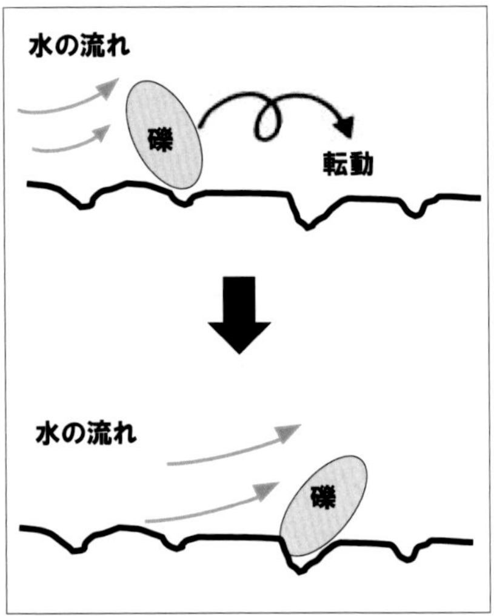

図　インブリケーションのでき方

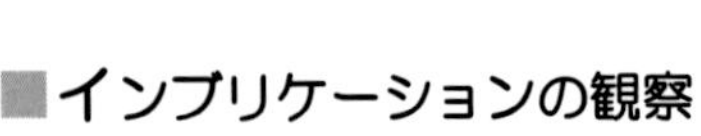

■インブリケーションの観察

〈川原全体を見わたしてみよう〉

- 物事を観察する場合、近くから観察するとわかりやすい場合と、近すぎるとかえってわかりにくい場合があります。まずは、遠くから、川原全体を見渡して観察してみましょう。

〈礫の並び方の特徴をスケッチしよう〉

- 礫の並び方をスケッチしたり、気づいたことをまとめたりしましょう。

〈注意点〉

- 夏の炎天下の川原の石は、かなり高温に温められているため、長時間の観察は避けましょう。
- 帽子を着用したり、水分をこまめに補給したりして、熱中症に気をつけましょう。

川原にみられるインブリケーション

観察ノート	10	川原の礫のインブリケーションの観察	年　月　日

位置を確認しよう。

- 地図上で位置を確認しましょう。

川原の礫のインブリケーションを観察しよう。

① まずは、川原全体を見わたして、川原の礫の並び方に特徴があるかどうか調べましょう。

川原の礫の並び方をスケッチしよう
川原の礫の並び方について気づいたこと

② 礫の長軸と地面との角度を、おおまかに測ってみましょう。

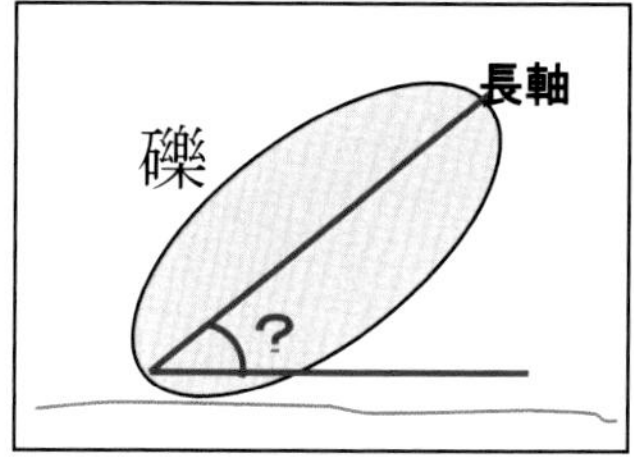

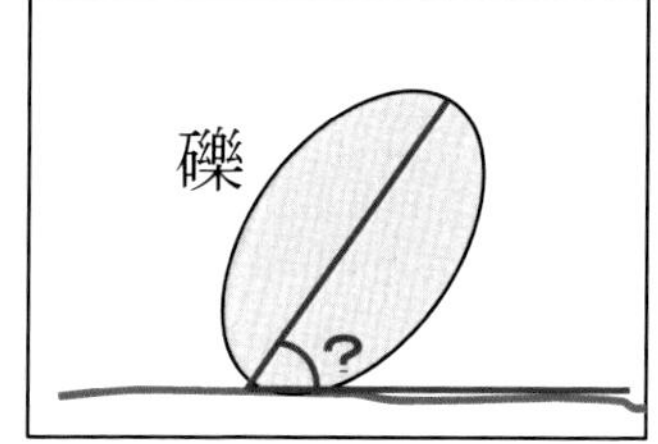

なぜインブリケーションができたのか、まとめよう。

「礫」、「水の流れ」というキーワードを使って、インブリケーションのでき方をまとめましょう。

11	川原の石灰岩の中の化石の観察
観察場所	中流域　　（ 美濃市須原　洲原神社の前の川原 ）

観察のポイント

●他のものと比較して観察する　⇒　他の礫と比べて白っぽい石灰岩を探す。

●他の事象と関連づけて考える　⇒　石灰岩と化石の存在を関連づけて、化石を探す。

■石灰岩と化石の関係

長良川の川原にある石灰岩は、海底で炭酸カルシウムを主成分とする生き物の殻などが堆積してできた岩石です。したがって、もともと生物起源の岩石であるため、岩石には、フズリナ、ウミユリ、サンゴ、貝類などの化石が含まれている場合が少なくありません。

■石灰岩の礫の中の化石を見つけよう

〈準備するもの〉　ルーペまたは虫めがね、化石図鑑等

〈川原の礫の中から石灰岩を見つける〉

- 美濃市須原の洲原神社前の川原には、付近より産出する石灰岩の大きな礫が多く含まれています。他の石と比べて色が白っぽく、表面が粉を吹いたような状態の石灰岩を見つけましょう。

〈石灰岩の中の化石を探そう〉

- 石灰岩が見つかったら、まずは肉眼で、何か模様のようなものがないか、探してみましょう。渦巻き状や白い線状の模様、黒っぽい破片状のものなどが見つかったら、さらにルーペを使って詳しく観察しましょう。
- 観察できた化石を、スケッチしましょう。

〈注意点〉

- 夏の川原の礫はかなり高温になっていることがあるので、長時間の観察は控え、帽子を着用したり、こまめに給水したりして、熱中症にはくれぐれも注意しながら観察しましょう。
- 川原の付近には、川の流れの強い場所があるので、水辺には近づかないようにしましょう。

■石灰岩の中から見つかる化石の種類

フズリナ……古生代（石炭紀～ペルム紀）に繁栄した有孔虫の仲間で、紡錘虫（ぼうすいちゅう）とも呼ばれています。石灰質の殻をもっていて、岐阜県内の石灰岩の中には、ごく普通に含まれています。

ウミユリ……ウミユリという名前や形から植物を連想しますが、ウニやヒトデと同じ棘皮（きょくひ）動物の一種です。石灰岩に化石として含まれ、白く丸い断面が見られます。

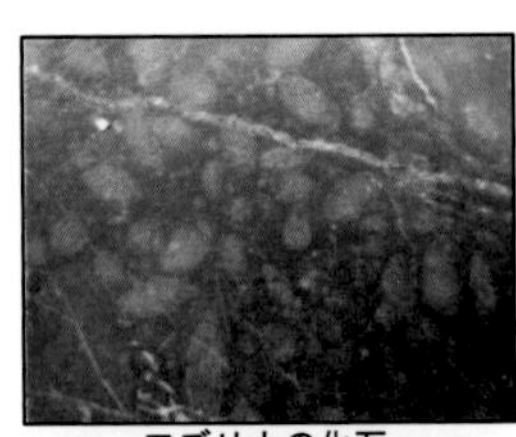

フズリナの化石

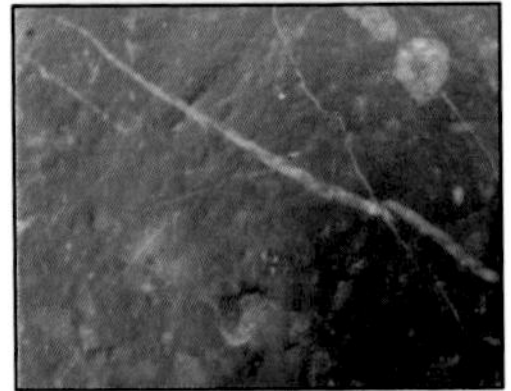

サンゴなどの化石

観察ノート	11	礫の中に含まれる化石の観察	年　月　日

■観察場所の位置を確認しよう。

・地図上で観察場所の位置を確認しましょう。

■川原の礫の中から石灰岩を見つけよう。

① 川原の礫の中から白っぽい石灰岩を見つけましょう。
② 石灰岩の表面をよく観察して、化石を見つけましょう。
　・白い丸い形のものや、網目のような模様を見つける。石の表面に水をかけると見やすくなる。
　・見つけたら、ルーペや虫めがねで拡大して、詳しく観察しましょう。

■観察したいろいろな種類の化石をスケッチしよう。

観察した化石のスケッチ No,1	観察した化石のスケッチ No,2
化石名	化石名

観察した化石のスケッチ No,3	観察した化石のスケッチ No,4
化石名	化石名

■スケッチした化石の名前を、図鑑やインターネットなどを利用して調べよう。

12	長良川は石のデパート -石の種類を見分ける学習-
観察場所	中流域　　（美濃市～岐阜市の川原）

観察のポイント

●他のものと比較して観察する ⇒ サンプルと比べて、石の名前を同定する。

●他の事象と関連づけて考える ⇒ 石の種類と、流域（水系全体）の地質とを関連づけて考える。

■石の種類が豊富な長良川の川原

川原の石の種類は、上流域の地質によって決まります。川原に存在する礫は、本流域から運ばれてきたものばかりではなく、支流が運んできたものもあるため、川原の礫の種類については、長良川水系全体の地質と関連づけて考える必要があります。

長良川流域の大部分を占めるのが、砂岩、泥岩、礫岩などの美濃帯と呼ばれる中生代の堆積物（付加体堆積物）で、その中に、それより古い時代に海洋プレートの上部で生成されたチャート、石灰岩、玄武岩（緑色岩）などが取り込まれています。美濃帯の堆積岩類以外には、流紋岩や花崗岩、花崗閃緑岩、安山岩、石英斑岩などの火成岩類が分布しています。

こうした多様な岩石が、本流や支流の上流部から礫として運ばれて川原を形成しているので、長良川の川原は、まるで石のデパートのように豊富な種類の石が存在しています。石の種類や見分け方を学ぶのにもってこいのフィールドです。

■岩石の見分け方

〈準備するもの〉

・岩石ハンマー、ペン（石に書けるペイントマーカーのようなものがよい）、標本箱、ルーペ、くぎ、食酢やうすい塩酸など

〈まずは特徴のある石を探そう〉

●チャート……チャートは他の石と違ってガラス質で表面がつるつるしていて、割れ口が鋭くとがる。灰色、白色、黒色、茶色、赤茶色、緑色など、いろいろな色や模様のものがある。

●石灰岩………白っぽい石で、表面が粉を吹いたような白色になっている。くぎで簡単に傷がつくので、チャートとは区別がつく。うすい塩酸や食酢をかけると、二酸化炭素の泡を発生する。

●砂岩…………石のつくりをよく見ると、砂粒が固まったつくりになっている。均等な粒が見える。黒っぽい泥岩の小さな破片状のものを含むものも少なくない。

●泥岩…………黒っぽい石を見つける。チャートとの違いは、表面がつるつるしていない。

●安山岩………黒っぽい色、紫色、灰色の中に白い粒（長石という鉱物）が混じっているのが見える。全体的に他の石より丸っぽいものが多く、球形に近い形のものも少なくない。

●花崗岩………白やピンク色っぽく見える。黒い粒や透明な粒、白またはピンクの粒が混ざっている。

●流紋岩………緑色っぽい石に透明や白い粒が混じっている。うす茶色を基調とした石に茶色い模様がついているものは、多くが流紋岩である。

観察ノート	12	川原でいろいろな石を見つける	年　月　日

位置を確認しよう。

・地図上で川原の位置を確認しましょう。

長良川の川原で、いろいろな種類の石を見つけよう。

・見つけた石に○をつけていきましょう。

〈注意点〉　熱中症に注意するとともに、危険なので水辺には近づかないようにしましょう。

砂岩（　　　　）　泥岩（　　　　）　れき岩（　　　　）

チャート（　　　　）　石灰岩（　　　　）　玄武岩（　　　　）

花崗岩（　　　　）　安山岩（　　　　）　流紋岩（　　　　）

石英斑岩（　　　　）　人工礫（　　　　）　人工礫（　　　　）

13	溶けてなくなりやすい石灰岩を探そう
観察場所	中流域　　（美濃市、関市、岐阜市の川原）

観察のポイント

- ●他のものと比較して観察する　⇒石灰岩と他の石を比較して、特徴をつかむ。
- ●変化を追って観察する　⇒より下流へ移動しながら石灰岩を探すことにより、石灰岩が少なくなることを理解する。
- ●他の事象と関連づけて考える　⇒石灰岩が他の岩石より減ることを、石灰岩が溶けやすい性質と関連づけて考える。

■石灰岩の特徴

石灰岩は、有孔虫、ウミユリ、サンゴ、貝などの珊瑚礁の生物などが堆積してできる岩石で、成分は主に炭酸カルシウムからなります。長良川の川原にある石灰岩は白っぽく、表面が粉を吹いたように見えることから、川原に存在する他の岩石と区別することが比較的簡単です。

石灰岩は、うすい塩酸や酢酸などの酸性の液体をかけると二酸化炭素の泡を出して溶けるため、この方法を利用して川原で最終的な同定を行うことができます。また、川原の他の岩石と違って水に少しずつ溶ける性質があり、上流から下流に運ばれるうちに溶けて小さくなっていく性質があります。

■川原で石灰岩を探そう

石灰岩は、郡上市八幡町の支流域に分布しており、そこから長良川の本流へ運ばれ、さらに下流へと運ばれます。また、美濃市須原の洲原神社前の川原にはブロック状の石灰岩塊が認められます。

〈石灰岩を見つけよう〉

- 郡上市八幡町から郡上市美並町あたりの川原において、石灰岩を探す。
- 石灰岩かどうか判断しかねるときには、酢などをかけて泡が発生するかどうかで確認する。
- もっと下流部の美濃市や関市あたりの川原で石灰岩を探し、川原の他の岩石と比べて石灰岩が極端に少なくなっていることに気づく。

〈石灰岩が極端に少なくなる理由を考える〉

- 川原の他の石と比べて、下流へ行くに従って石灰岩が極端に少なくなる理由を、石の性質と関連させて考える。
- 水の中にいくつかの石灰岩をしばらくの間浸し、カルシウムパックテストで水の中のカルシウムを測定する。短時間で比較的多くのカルシウムが溶けることがわかる。

■石灰岩探しの活動からわかること

- 石灰岩は、美濃市より下流へ行けば行くほど他の岩石より見つかりにくくなる。
- 石灰岩は、水の中を流れていくうちに成分が溶けて小さくなり、最終的になくなっていく。

川原で見つかる石灰岩

観察ノート	13	溶けてなくなりやすい石灰岩	年　月　日

位置を確認しよう。

・ 観察する川原の位置を、その都度地図上で確認しましょう。

郡上市八幡町～美並町の川原で、石灰岩を見つけよう。

① 白っぽい石灰岩を探して、本当に石灰岩かどうか確かめてみましょう。

⇒ うすい塩酸や酢をかけて、泡が発生したら石灰岩。

⇒「くぎ」で表面をひっかいてみて、白い傷がついたら石灰岩。

② 確実に石灰岩を識別できるように、何度も繰り返して見ましょう。

③ カルシウムパックテストを利用して、石灰岩が水に溶けやすいかどうか調べましょう。

・バケツなどの容器に川の水を汲み、そこに石灰岩の礫を何個か沈め、手でしばらくかき混ぜる。

・しばらくして、容器の中の川の水を、カルシウムパックテストで調べ、カルシウムのおおよその量を測定する。

・今度は、川の水をカルシウムパックテストで調べ、カルシウムのおおよその量を測定する。

・石灰岩を入れた方の水と、川の水そのもののカルシウムの量を比較する。

郡上市八幡町より下流の川原で石灰岩を見つけよう。

・川原じゅうを 10 分間探して、何個の石灰岩が見つかるだろうか。

より下流へ ⬇

場所①		10 分間に見つけられた石灰岩の数	個
場所①		10 分間に見つけられた石灰岩の数	個
場所①		10 分間に見つけられた石灰岩の数	個

観察から明らかになったこと

・ 長良川の川原の礫の中から、石灰岩を識別できるようになった。 ➡ はい　いいえ

14	まん丸石を探せ　-礫の種類と形の関係-
観察場所	中流域　　（ 美濃市～岐阜市の川原）

観察のポイント

●他のものと比較して観察する　⇒　他の礫と比べて、より丸い（球形の）の石を見つける。

●他の事象と関連づけて考える　⇒　丸くなる形を礫の種類と関連づけて考える。

■まん丸石とは

長良川中流域の川原では、丸っぽく見える石（礫）でも、近づいて一つ一つを比べてみると形はまちまちであることがわかります。そんな中で、野球のボールのようなまん丸の石を見つけることができます。

長良川の川原には、色々な種類の石が存在していますが、まん丸の石ばかりを拾い集めていると、特定の種類の石が多いことがわかります。石がまん丸になる条件は、上流から長い距離を運ばれるということだけではなく、石の種類にも関係があります。

■まん丸石を探そう

〈準備するもの〉

・採集した石を入れる容器

〈川原の礫の中から、まん丸の石を見つける〉

・長良川中流域の礫が豊富な川原で、20 分間時間を決めて、球形に近い「まん丸石」を、できるだけたくさん見つける。

〈見つけたまん丸石を、種類ごとに仲間分けする〉

・見つけたまん丸石を、石の種類ごとに仲間分けする。

・岩石名を知っている必要はなく、石の表面の模様や色などによって仲間分けできればよい。

・どの種類の石（どの仲間の石）が多いのか、順位をつける。

川原で見つけた「まん丸石」

〈石の名前を調べる〉

・見つけたまん丸石のうち、数の多かった種類の石の名前を、図鑑やインターネットを利用して、自分で可能な限り調べてみる（岩石名はわかりにくいので、わからなくてもよい）。

・講師から、まん丸石として多く見られた岩石名を教えてもらう。

〈注意点〉熱中症に注意するとともに、危険なので水辺には近づかないようにしましょう。

■まん丸になる石の種類は限られている

長良川の川原には、砂岩、泥岩、礫岩、チャート、石灰岩、花崗岩、流紋岩、安山岩などが見られますが、その内、まん丸石になりやすいのは、安山岩や砂岩や花崗岩であることが観察からわかります。特にまん丸石の多くが安山岩です。岐阜市内の川原で見られる安山岩は、いずれも上流から 100 ㎞以上運ばれてきたものばかりである上、岩石の構造に方向性が少なく、均等に削られやすい性質があるためだと考えられます。

観察ノート	14	まん丸石を探せ	年　月　日

位置を確認しよう。

・地図上で川原の位置を確認しましょう。

野球のボールのような「まん丸石」を、なるべくたくさん見つけよう。

〈注意点〉　熱中症に注意するとともに、危険なので水辺には近づかないようにしましょう。

［　　　分間］で見つけた「まん丸石」の数 → ［　　　個］

見つけた「まん丸石」を、模様や外見などから仲間分けしよう。

まん丸石の特徴	岩石名	個数
まん丸石の特徴①	岩石名	個
まん丸石の特徴②	岩石名	個
まん丸石の特徴③	岩石名	個

・「まん丸石」になりやすい石の種類は［　　　　　　　　］

・「まん丸石」になりやすい石の種類は特定の種類の石に決まっていると言えるだろうか。

はい　　いいえ

自分が見つけた一番の「まん丸石」を写真に撮って、自慢しよう。

15	いろいろな色のチャートを探そう
観察場所	中流域　　（美濃市～岐阜市の川原）

観察のポイント

●他のものと比較して観察する　⇒　他のチャートと色を比べながら、いろいろな色のチャートを見つける。

■チャート

チャートは堆積岩の仲間で、珪質（ガラス質）の硬い殻をもった**放散虫**というプランクトンの殻の部分が、大洋の深い海の底に積もってできた岩石です。長良川流域では、美濃帯堆積岩類の一部として、郡上市八幡町以南に多く分布していて、川原の礫としても多く存在しています。

チャートには、赤褐色、茶色、緑色、緑灰色、灰色、黒色、白色など、さまざまな色のものが存在しています。これらの色の違いは、チャートに含まれる微量な化学成分の違いによるもので、堆積した時の酸化還元状態などの環境の違いや、堆積後の変成作用や二次的な変質などによるものと考えられています。

赤褐色、茶色のものは微量な赤鉄鉱など、灰色や黒色のものは硫化鉄や炭素化合物、緑色系のものは二価の鉄から構成される鉱物などを含んでいることが色の原因となっているようです。

■長良川の川原の色とりどりのチャート

長良川の川原でも、上記のような色とりどりのチャートを見つけることができます。微妙な色の違いのものを含めると何種類にもなります。

そもそもチャート自体が、他の石と違ってガラス質でつるつるしていて見つけやすいため、間違えることなくいろいろな色を探すことができます。何種類の色のチャートが見つかるか、チャレンジしてみましょう。

赤褐色のチャート　茶色のチャート　緑色のチャート

白色のチャート　灰色のチャート　黒色のチャート

16	川原の礫についたアユの食み跡からわかること
観察場所	中流域　（美濃市、関市、岐阜市　）

観察のポイント

●変化を追って観察する　⇒　「アユの食み跡のついた礫」が、川原のどの辺りまであるかを観察する。

●他の事象と関連づけて考える　⇒　川原にある「アユの食み跡のついた礫」の存在を、水の増減と関連づけて考える。

川原の礫についたアユの食み跡

古くから鵜飼いによるアユ漁が行われてきた長良川。夏～秋にかけての季節は、大きく成長したアユが元気よく泳ぎ回ります。この時期のアユのエサは、川底にある礫の表面についた「コケ」などと呼ばれるケイ藻類で、泳ぎながら上手に礫の表面のケイ藻類を食んでます。

礫の表面のケイ藻が食べられた部分は、笹の葉のような跡になり、礫が乾いた状態になると黒い跡として表面にしっかり残ります。

水辺近くの川原をよく観察すると、時期によっては、このようなアユがケイ藻類を食んだ跡が多く見られます。

川原の礫の表面についたアユの食み跡

アユの食み跡からわかる川の水量の変化

アユの食み跡があることは、以前その場所にアユが生息し、礫の表面に繁茂した藻（ケイソウ）を食べていたということがわかります。現在、川原として礫が露出しているということは、川の水量が変化していることを物語っています。

川岸から、川原のどの辺りまで食み跡のついた礫があるかを調べることによって、水がどの辺りまであったかということを知ることができます。

大雨によって増水して川原が数日間水で覆われても、礫の表面に藻が繁茂するには時間が短すぎますので、藻はつきません。アユの食み跡がある礫の存在は、その場所に一定の期間は静水時の水が流れ続けていたということの証拠になります。

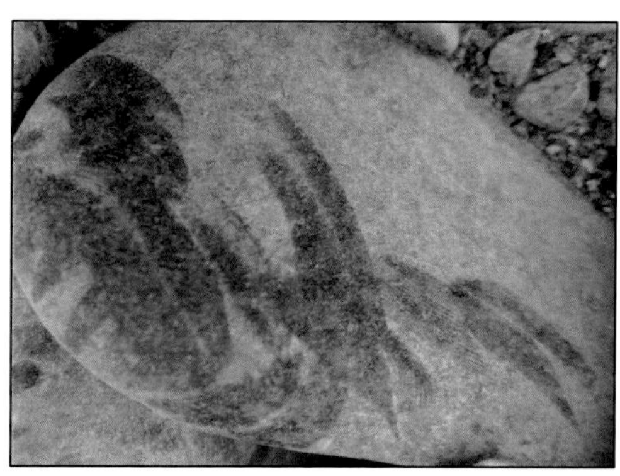

アユの食み跡

17	環流丘陵　－川が曲がって流れた跡の小山－
観察場所	中流域　　（郡上市八幡町西乙原）

観察のポイント

- ●他のものと比較して観察する　⇒平野部における三日月湖と比較しながら、でき方をイメージしてみる。
- ●変化を追って観察する ⇒旧河川の流路の変化を推測しながら、環流丘陵の成因を考える。
- ●他の事象と関連づけて考える　⇒環流丘陵のでき方を、川の流れや大地の隆起量、地質と関連づけて考える。

■環流丘陵とは

山間部において、河川の流路が大きく蛇行していたのが短絡する（短く近道を流れる）と、平野部における三日月湖のように、蛇行部分が流路から切り離されて低地として残り、その低地に囲まれるように中心部分に残丘（小さな山）ができます。 この小さな残丘を**環流丘陵**と呼びます。

周辺の地域の隆起量や、環流丘陵として残される部分が侵食に強い硬い岩石であることなど、地殻変動や地質の条件がそろったときに生成されます。

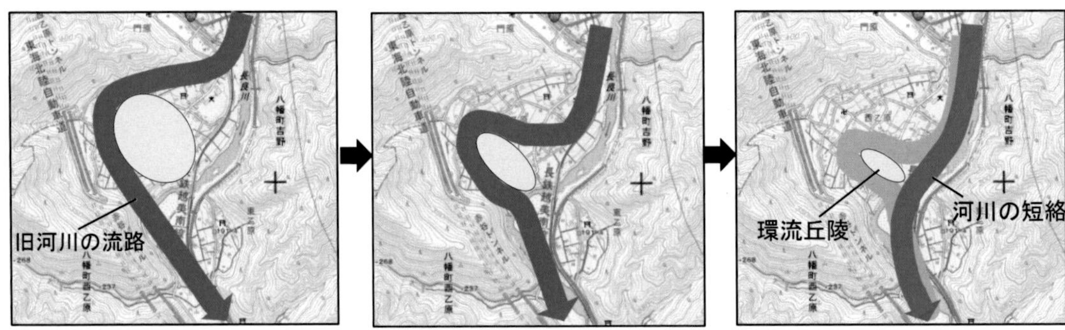

図　環流丘陵のでき方の模式図 (国土地理院 maps.gsi.go.jp/#15/35.709270/136.945739 をもとに作成)

■長良川流域に見られる環流丘陵

国道156号を車で北上しながら、郡上市八幡町東乙原あたりで対岸（西乙原地区）を見ると、開けた緩い斜面の真ん中あたりに、緑の木が生い茂った小高い小山（丘陵）が見えます。これが、八幡町西乙原の環流丘陵です。かつては、この環流丘陵を取り囲むように長良川が流れていましたが、現在の長良川の流路のように短絡し、大地が隆起したため、中心部の残丘とともに川沿いの陸地として残されました。

長良川流域では、この他に郡上市美並町赤池、美並町根村、美濃市立花などでも見られます。

長良川流域にみられる環流丘陵　郡上市八幡町西乙原

18	長良川と金華山
観察場所	中流域　（岐阜市）

観察のポイント

●他の事象と関連づけて考える　⇒　金華山の成因を、水の働きと関連づけて考える。

岐阜市のシンボル・金華山

長良川の清らかな水と金華山の木々の緑の調和が織りなす美しさは、40万都市岐阜市の自慢すべき景観です。金華山は、まわりの平坦部からそそり立つように見え、頂に岐阜城を構えていることもあわせて、岐阜市のシンボル的な存在となっています。

濃尾平野北部に存在する美濃山地の山々は、かつて流水による下刻が激しい時期に、地質的に硬い岩石が侵食されずに残ってできたもので、金華山もそのうちの１つです。

金華山は、山のほとんどがチャートと呼ばれる硬い岩石からできています。チャートは堆積岩の仲間で、珪質（ガラス質）の硬い殻をもった放散虫というプランクトンの殻の部分が、大洋の深い海の底に積もってできた岩石です。金華山のチャートは、古生代のペルム紀後期から中生代の三畳紀中期にかけての時期（約２億6000万～約２億3000万年前）に、南半球の赤道付近の深い海底にゆっくり（1000年で1㎜程度）と堆積し、その後、プレートの移動によって北上し、プレートが海溝に沈み込む際に、当時の大陸の縁にくっついて現在の場所に存在していることが明らかになってます。

プレートによって運ばれてきたチャートは、大陸の縁に付加されるときに大きな力を受け、スラストと呼ばれる逆断層や曲がりくねった褶曲が発達しています。金華山のドライブコース沿いのチャートの崖では、そのようにしてできたと考えられる褶曲構造が至る場所で観察できます。

金華山の標高は何m?

岐阜市の公式ホームページや様々な印刷物には、金華山の標高は329mと記されています。しかしそれは、頂上から９mほど下の測候所のある場所に移された三角点の標高であり、頂上の標高とは異なります。金華山の頂上には昭和８年の石碑があり、そこには「海抜高338m」と記されています。山に設置された国土地理院の三角点は、必ずしも頂上に設置されているわけではないことを認識するとともに、いち早く誤記載を訂正していただくことを願っています。

長良川と金華山

金華山山頂より9mほど下にある三角点（標高329m）

19	洪水の時に水はどこまで来たのか？（防災教育）
観察場所	中流域　（岐阜市の川原や河川敷など）

観察のポイント

●他のものと比較して観察する　⇒静水時（平常時）と洪水時を比較し、水量の変化に気づき、防災意識を高める。

●変化を追って観察する　⇒洪水時から静水時への変化によって残された記録を観察し、洪水時の水量を推測する。

●他の事象と関連づけて考える　⇒洪水後に残された川原の事実を、洪水時の水の流れと関連させて水量を考察する。

長良川が増水した時の水量を知る

静水時の美しい長良川も、洪水時には、増水した茶色い水が濁流となって、まるで牙をむいたかのように流れます。岐阜市の長良橋付近では、川岸の旅館の駐車場あたりまで水がつくこともしばしばで、河川敷を覆い隠すほど出水（しゅっすい）することも少なくありません。

静水時の長良川　岐阜市長良橋付近

洪水時の長良川　岐阜市長良橋付近

洪水後の川原や河川敷に残された洪水の記録

洪水による最大の出水後、流域で雨が降らなければ一週間ほどで、もとの静水時の水量に戻ります。静水時の水量に戻った後には、川原や河川敷などに、「洪水時にそこまで水が来た」という証拠がたくさん残ります。そのため、「水が来た」「水の流れがあった」ことがわかる様々な証拠を見つけ出すことによって、洪水時にどれだけ増水し、どこまで水が来たのかを突き止めることができます。

川原や河川敷において「水が来た」「水の流れがあった」ことがわかる証拠の例

・川原に貝殻が落ちている。・川原の草が下流方向に倒されている。・河川敷に砂が堆積している。
・川原に水生昆虫の死骸が落ちている。・河川敷の木の上にゴミがひかかっている。etc.

流れで倒された川原の植物

洪水で運ばれて堆積した砂

洪水時に木にひかかったゴミ

観察ノート	19	洪水の時に水はどこまで来たか	年　月　日

観察場所および洪水後何日たっているか確認しよう。

岐阜市長良（長良橋下の川原および河川敷一帯）

大規模な洪水があった後、約＿＿＿＿＿＿＿日後に実施

洪水の時、この辺りは、どの辺りまで水が来ただろうか。

・図の中に、「水が流れた」証拠を見つけた場所と内容を簡単に記入し、記録しましょう。

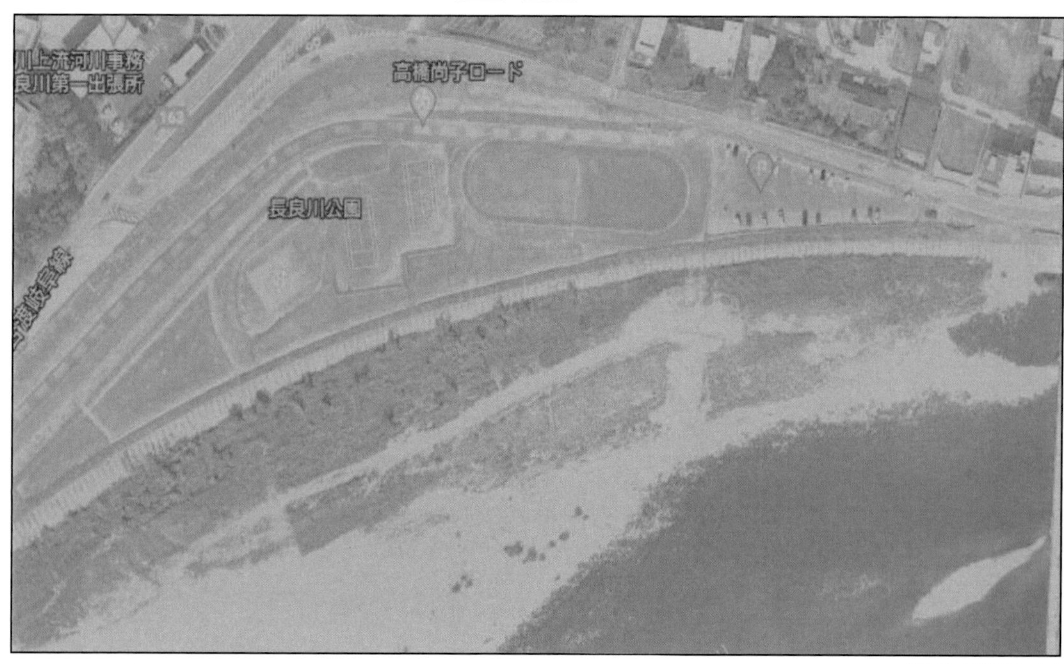

（地図データ©2021Google）

・「水の流れがあったと考えられる」見つけた事実

＿＿＿＿＿＿＿＿＿＿＿＿＿＿＿＿＿＿＿＿＿＿＿＿＿＿＿＿＿＿

＿＿＿＿＿＿＿＿＿＿＿＿＿＿＿＿＿＿＿＿＿＿＿＿＿＿＿＿＿＿

＿＿＿＿＿＿＿＿＿＿＿＿＿＿＿＿＿＿＿＿＿＿＿＿＿＿＿＿＿＿

＿＿＿＿＿＿＿＿＿＿＿＿＿＿＿＿＿＿＿＿＿＿＿＿＿＿＿＿＿＿

＿＿＿＿＿＿＿＿＿＿＿＿＿＿＿＿＿＿＿＿＿＿＿＿＿＿＿＿＿＿

洪水の時、水はどの辺りまで来たのか、結論をだそう。

20	古い地図から流路の変遷を読みとるー古川・古々川ー
観察場所	中流域　（岐阜市長良、鷺山地区周辺）

観察のポイント

- ●他のものと比較して観察する　⇒現在の地形図と、明治時代の地形図とを比較して、現在の地形の過去を読みとる。
- ●変化を追って観察する　⇒明治から現在へと時代の変化を追って、土地利用の変化を理解することができる。
- ●他の事象と関連づけて考える　⇒旧河道であったことと、現在、県の施設などが立ち並ぶ土地利用を関連づけて考える。

■長良川の流路の変遷

岐阜市を流れる長良川は、昭和のはじめまで長良橋の下流付近で３本の川に分岐していました。右の写真は当時の増水時のものだと思われますが、向かって一番右が古々川、真ん中が古川、左が現在の長良川である井川です（ただし、井川以外のどちらを古川および古々川と呼ぶかということに関しては異論もあります）。

長良橋下流で３本の川に分岐する長良川

平常時には、現在の長良川の流路である井川以外は水の流れがあまりなかったと思われますが、大雨による増水時には大量の水が流れ、たびたび水害を引き起こしました。古川流域の住民により明治１７年に古川入り口の締切りの要請が出されましたが、昭和８年にようやく長良川右岸の締切り工事が始められ、昭和２７年に古川および古々川への入り口の締切りがようやく完成しました。

締切り工事が終わると、これまでの古川や古々川の流路の跡地が土地として活用されはじめ、古川の跡地には県営総合運動場や岐阜北高校の前身の岐阜市立中学校などが、古々川の跡地には県営住宅や市営住宅、消防署や保険局などの公共施設がつくられました。現在では古川や古々川の旧流路付近へ行ってもかつての長良川の流路であったことは全くわからなくなっていますが、公共施設が旧流路に沿って立ち並んでいることから当時の地形を想像することができます。

古川および古々川付近の航空写真（地図データ©2021Google）

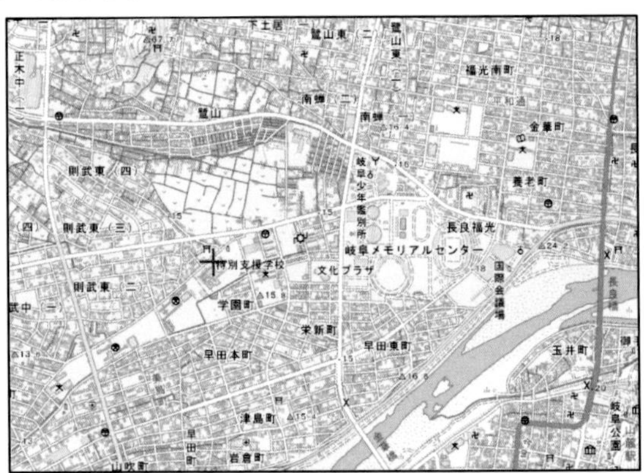

図　古川および古々川付近の地形図
（国土地理院 maps.gsi.go.jp/#15/35.435603/136.762619）

古い地形図から読み取る過去の地形

明治時代や大正時代、昭和初期といった古い年代の地形図が特別に編集され、容易に手に入るようになりました。岐阜県や岐阜市周辺のものも市販されています。

明治 24 年に大日本帝国陸地測量部によって発行された二万分の一地形図「岐阜」の復刻版によりますと、古川や古々川の流路の地形を見つけることができます。また、これらの大きな河川跡の他にも、規模の小さな河川跡が入り組んだように記されています。一番南を流れる長良川本流の井川には水の流れが記されていますが、古川や古々川には、川と呼べる程の水の流れは記されていません。平常時には川原のような土地で、増水時に大きな流れが生じたと思われます。そして常に水害への恐怖がつきまとった土地であることが読み取れます。

この地域に限らず、明治時代の古い地形図と、現在の地形図とを並べて比較することによって、古い川の流路や、人工的な工事がなされる前の自然な状態の自然地形を読み取ることもできます。

したがって、かつての自然の地形を読み取ることによって、その土地の特徴（くせ）を把握することができ、地形や地質によって影響される災害に備えることができます。

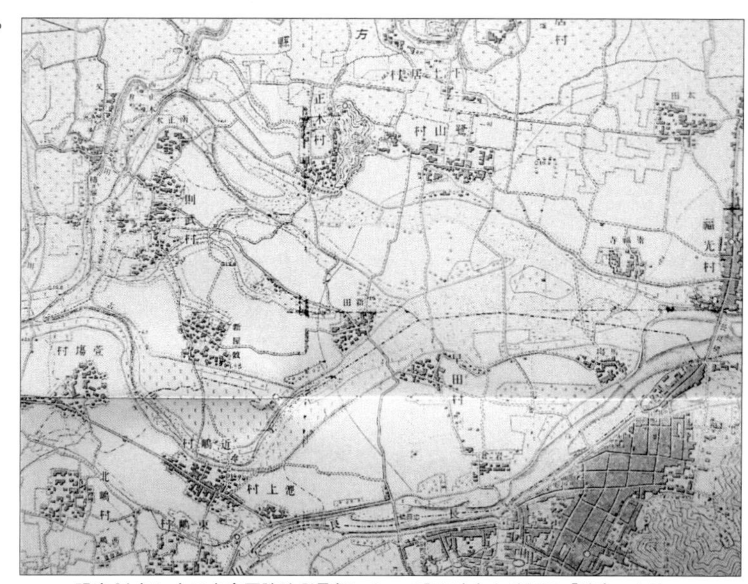

明治 24 年に大日本帝国陸地測量部によって発行された地形図「岐阜」より

住んでいる土地の昔は

それでは、自分が住んでいるところは、昔どのような土地だったのでしょうか。古い地形図を見て、昔の自然状態の土地のようすを詳しく調べてみてほしいと思います。

なお、古い地図の復刻版は、岐阜県図書館や岐阜市歴史博物館等において販売されています（要確認）。

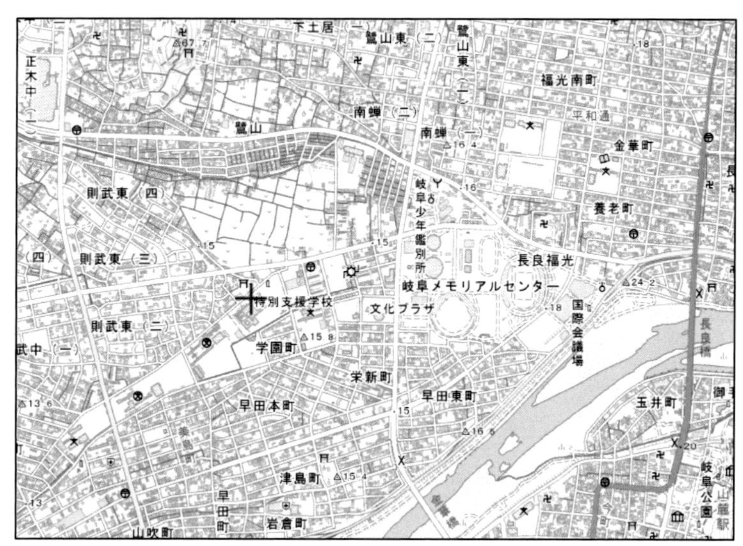

図 古川および古々川付近の地形図
（国土地理院 maps.gsi.go.jp/#15/35.435603/136.762619）

21	古い地図から流路の変遷を読みとる－西小薮地区－
観察場所	下流域　（羽島市西小薮地区）

観察のポイント

●他のものと比較して観察する　⇒現在の地形図と、明治時代の地形図とを比較して、現在の地形の過去を読みとる。

●変化を追って観察する　⇒明治から現在へと時代の変化を追って、土地利用の変化を理解することができる。

●他の事象と関連づけて考える　⇒旧河道であったことと、現在の地形を関連づけて考える。

■長良川下流部における流路の変遷

岐阜市方面から長良川右岸の堤防道路を南下すると、海津市の道の駅「クレール平田」を過ぎるあたりに突然、「羽島市西小薮」という看板に遭遇します。海津市域を走っていたのに、長良川の対岸にあるはずの羽島市になることに「あれ？」と思った方もいらっしゃるのではないかと思います。

この羽島市西小薮地区は、現在、羽島市とは長良川を挟んだ飛び地になっています。下の航空写真を見ていただくとわかるように、西小薮地区を取り囲むように蛇行していた、長良川の旧河道の跡が認められます。その頃は西小薮地区は大きく蛇行する長良川の左岸域に存在していたことになります。それでは何故、今の飛び地のような地理的な分布になったのでしょうか。

■羽島市西小薮地区は長良川の三川分流工事の名残

オランダ人技師のヨハネス・デ・レーケの指導による木曽三川分流工事（明治治水）によって、水害を防ぐ工事が行われました。そのうちの１つとして、西小薮地区においても治水工事が行われ、大きく右へ蛇行していた長良川の流路がまっすぐにされました。それ以来、本来長良川左岸に存在していた西小薮地域が長良川右岸の集落となりました。

このような事例１つとってみても大変な工事であったことを察することができますが、江戸時代に行われた宝暦治水も、ヨハネス・デ・レーケの指導の下で進められた明治治水も、多くの場所で大規模な難工事が進められて来たことに対して、あらためて敬意を表するばかりです。

こうしたことも、古い地形図によって明確に確認することができます。

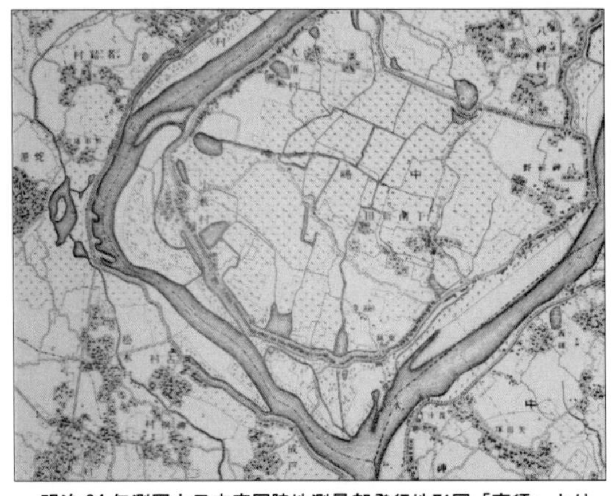

明治 24 年測図大日本帝国陸地測量部発行地形図「高須」より

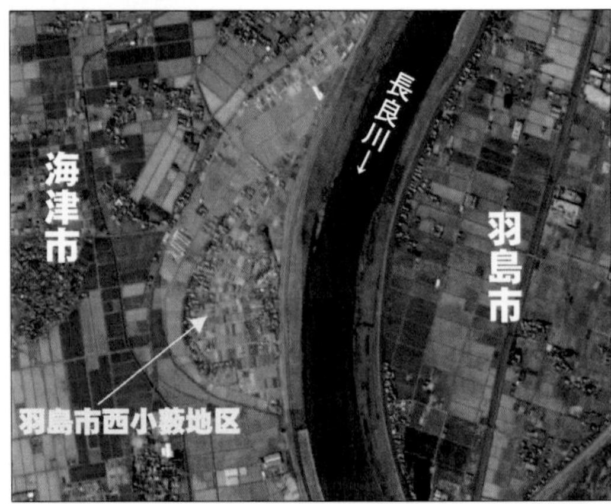

図 長良川の改修工事により羽島市の飛び地となった西小薮地区
（地図データ ©2021Google より）

●● コラム

「標高」と「海抜」は違うの？

山の高さなどの場合「標高○○ m」と表記されるのに対して、海岸沿いの低地などの場合は「海抜○ m」と表記されています。「標高」と「海抜」は違うのでしょうか？

「標高」は、東京湾の海面（平均海面）を基準（0m）として、そこからの高さを示すものです。長良川の最上流にある大日ヶ岳の標高は 1709m ですので、東京湾の平均海面から 1709m 高い所に頂上があります。標高○○ m という時は、全国どこであっても東京湾の海面からの高さを表しています。

これに対して「海抜」は、津波や高潮などの「低地の防災」を意識した時に使用されるもので、「海抜 0m 地帯」、「ここは海抜 2m。避難場所は○○」といった感じで使われます。

低地防災で肝心なのは、最寄りの海の海面よりどれだけ土地が高いかということであり、例えば、濃尾平野に住む人は名古屋港の海面からどれだけ高いかということが重要です。なぜなら、海面の高さは全国の場所によって異なるからです。名古屋港の平均海面は東京湾の海面よりも約 1.4m も低いそうです。

すなわち「海抜」は、最寄りの海の海面（平均海面）を基準（0m）として、そこからどれだけ土地が高いかを表すもので、例えば、濃尾平野の海抜の場合、最寄りの名古屋港の海面を基準（0m）にどれだけ土地が高いかということになります。「海抜 5m N.P」などのように、海抜○ m の後に N.P などの記号をつけて、基準面の場所を示します。N.P は Nagoya Peil（名古屋港基準面）の略です。

「濃尾平野の海抜 0m」＝ 標高 0m（東京湾基準）－ 1.4m ですので、濃尾平野における「標高 0m」＝「海抜 1.4m」となりますね。

標高が表示された写真

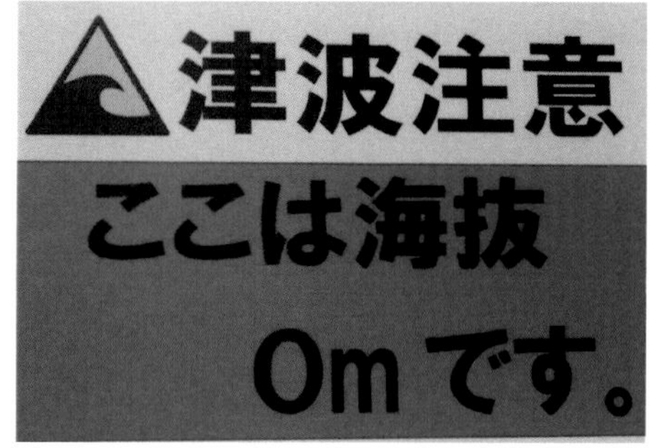

海抜が表示された写真

22	木曽三川分流工事と千本松原
観察場所	下流域　（海津市千本松原）

観察のポイント

●他の事象と関連づけて考える　⇒濃尾平野の傾動運動と木曽三川の流路を関連づけて考え、洪水が発生する理由を理解する。

■濃尾傾動運動と木曽三川の流路

濃尾平野は、西側の養老山地とは断層（養老断層）で境を成しています。濃尾平野は現在でも東の猿投山地側は隆起し、西の養老山地側は養老断層を境に沈降する運動を続けており、これを濃尾傾動運動と呼んでいます。

この運動によって濃尾平野は西側に傾き続けているため、長野県の木曽地方、岐阜県の奥美濃地方と全く別々の地域に端を発した木曽川、長良川の大河川は、濃尾平野にさしかかると一様に西に向かって流れ、西部の揖斐川とともに平野の一番低い部分へ集結しながら、養老山地に沿うように南下しています。このため、３本の大河川が集まるこの地域では、甚大な水害が繰り返されてきました。特に、天気が西から東へと移ることからすると、一番西にある揖斐川が早くから洪水になり、やがて遅れて木曽川の水までが揖斐川に集まるため、揖斐川は長期にわたって洪水が続き、水害を引き起こしてきました。

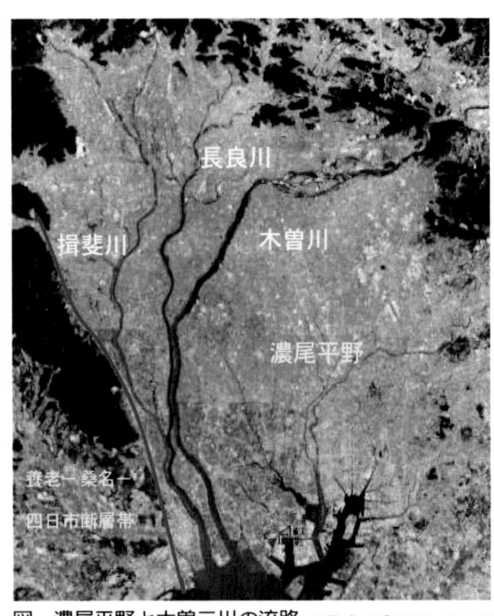

図　濃尾平野と木曽三川の流路（地図データ©2021Googleより）

■木曽三川の水害を防ぐための治水工事

木曽三川が集まるこの一帯は、洪水のたびに川の流路が変わるため、江戸時代中期までは川が網目のように入り組んでいて、複雑な流路を形成していました。そのため、ひとたび増水するとすぐに氾濫し、水害の危険にさらされてきました。

この地域の水害を防ぐ方策として、３つの河川をそれぞれ単独に河口まで流す、いわゆる三川分流工事が行われ、現在の流路に改修されました。特に、江戸時代に薩摩藩によって行われた「宝暦治水」の工事や、明治時代にオランダ人技師のヨハネス・デ・レーケの指導によって行われた「明治治水」の工事はよく知られています。

■三川分流工事によってできた千本松原

江戸時代中期の宝暦４年（1754年）、江戸幕府は、薩摩藩に木曽三川を分流させる治水工事を命じました。特に、長良川が合流した後の木曽川と揖斐川がぶつかる油島を、堤防によって締め切り、２つの河川を完全に分流させたのが宝暦治水の中心的工事です。

木曽川と揖斐川は油島でぶつかって合流するものの、すぐにまた分かれて流路を別にして伊勢湾まで注いでいました。この地点に堤防を築いて、大きな河川が運んでくる大量の水が交わらないようにして水害を防ごうとしました。壮絶な工事は難航を極め、多くの犠牲者を出しながらも、翌年には完成しました。

油島とは、現在の千本松原のあたりの地名であり、たくさんの大きな松が立ち並ぶ千本松原の松は、宝暦治水における締切のために作られた堤防を強化するために植えられたものです。千本松原は、いわば、いにしえの壮絶な治水工事に思いを馳せるモニュメントであるといえます。当時は、千本松原の締切提は、揖斐川と木曽川とを隔てるものでしたが、その後、長良川と木曽川が完全に分流され、現在では揖斐川と長良川とを隔てる堤防となっています。

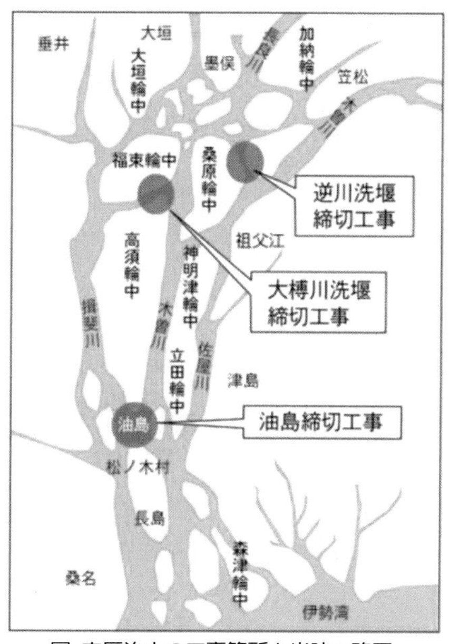

図 宝暦治水の工事箇所と当時の略図

千本松原

宝暦治水工事により完成した締切提に植えられた約 1000 本の日向松が大きく育ち、今では千本松原と呼ばれる美しい松並木を形成しています。国営木曽三川公園の展望タワー付近から南に約 1km にわたって連なり、昭和 15 年に「油島千本松締切提」として国の史跡に指定されています。

千本松原の松並木

千本松原にある治水神社

国営木曽三川公園内の展望タワー

23	長良川のフィナーレ
観察場所	下流域　（揖斐川との合流点まで）

観察のポイント

●変化を追って観察する　⇒源流から河口付近へと変化を追って川を取り巻く自然を見つめることができる。

●他の事象と関連づけて考える　⇒川を取り巻く自然の変容を人間の営みと関連づけて考え、未来のあり方を模索する。

■長良川 166km の旅のフィナーレは

川の長さは、本流の最上流部の分水界から河口まで、または、さらに大きな河川と合流する地点までの距離を測ります。また、川には川幅があり、測る場所によって長さは変わってしまうので、川の中央で測ることが決められています。

長良川のスタートは、郡上市高鷲町の大日ヶ岳の分水界、すなわち頂上ということになります。当然分水界から常時水が流れ出ているわけではありませんが、そこに降った雨水は、170km を流れたのち伊勢湾にたどり着きます。

「あれ、この本の最初に長良川の全長は 166km って書いてあったのに？」と思われた方はさすがです。長良川は大日ヶ岳の分水界から 166km 後に、三重県桑名市の長良川河口堰下流 1.4km の所で揖斐川に合流します。その合流点までが「長良川」であり、その長さが 166km なのです。長良川と揖斐川が合流した後は「揖斐川」となって伊勢湾に注ぎます。河口までたったの 4km を残してフィナーレを迎えます。

長良川には、河口堰はあっても河口がないのです。河口堰にせき止められ、乗り越えたと思ったらフィナーレです。何とも淋しいフィナーレではありませんか！

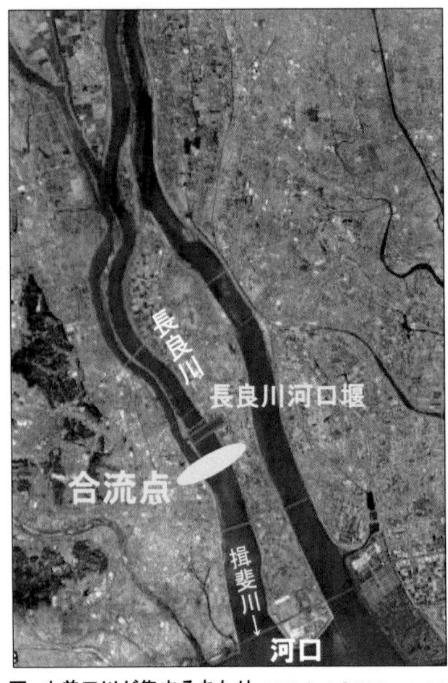

図　木曽三川が集まるあたり（地図データ©2021Google より）

図　フィナーレとなる長良川と揖斐川の合流点（地図データ©2021Google より）

●● コラム

長良川流域の「おいしい名産品」はいかがですか

名水のある所には「おいしい名物」があります。とうふや水まんじゅう、清酒やサイダーなどはよく知られたところです。人里を流れる長良川流域にも、長良川の名水とかかわりがありそうな名物がたくさんあります。

川魚

長良川が直接育む名産は、何と言ってもそこで育った魚介類です。長良川の鮎は、江戸時代には「なれ鮨」として将軍に献上されたもので、姿鮨とともに伝統料理として今に受け継がれています。平成 27 年には「長良川の鮎」として世界農業遺産に認定され、長良川の象徴的な存在であるといえます。夏から秋のシーズンになると所どころに「ヤナ場」が設けられ、鮎料理のフルコースを味わうことができます。アユの内臓を塩辛にした「鮎のうるか」も酒の肴に合う珍味です。

上・中流部のアユやアマゴ、アジメドジョウ料理、中流部のオイカワを佃煮にした「いかだばえ」、中・下流部のウナギの蒲焼、稀少なサツキマス料理、モロコの佃煮、モクズガニなどは川魚料理屋さんで味わうことができます。海津市平田町のお千代保稲荷参道には多くの川魚料理店が軒をならべ、ナマズの蒲焼が「時価」としてメニューに位置づいています。

清酒

灘の清酒が西宮の「宮水（みやみず）」を使うことによって名声を得てきたように、特に酒造りと水は切っても切れない関係にあります。きれいな水であることは言うまでもありませんが、適した硬度やミネラルバランスが求められます。

岐阜県酒造組合連合会によると、令和 3 年現在、岐阜県内には 48 の蔵元があり、そのうち 11 の蔵元が長良川流域に存在しています。いずれも長良川の豊富な地下水や伏流水を井戸水として使って酒造りが行われています。

岐阜県を代表する酒造好適米である「ひだほまれ」などの酒米と、岐阜県で開発された「G 酵母」、そして長良川流域の清らかな名水とが織りなすハーモニーが、岐阜の逸品を生み出しています。もちろん私たちも「編集会議」と称してよくいただいています。

その他の名物

長良川流域の名物としては、長良川上流域でつくられ親しまれてきた「けいちゃん」、「郡上みそ」、母袋のとうふや「燻り豆腐」、カステラ生地で求肥を包んだ「鮎菓子」などがよく知られています。郡上育ちではありませんが、私は郡上みその魅力に取りつかれました。

生物編

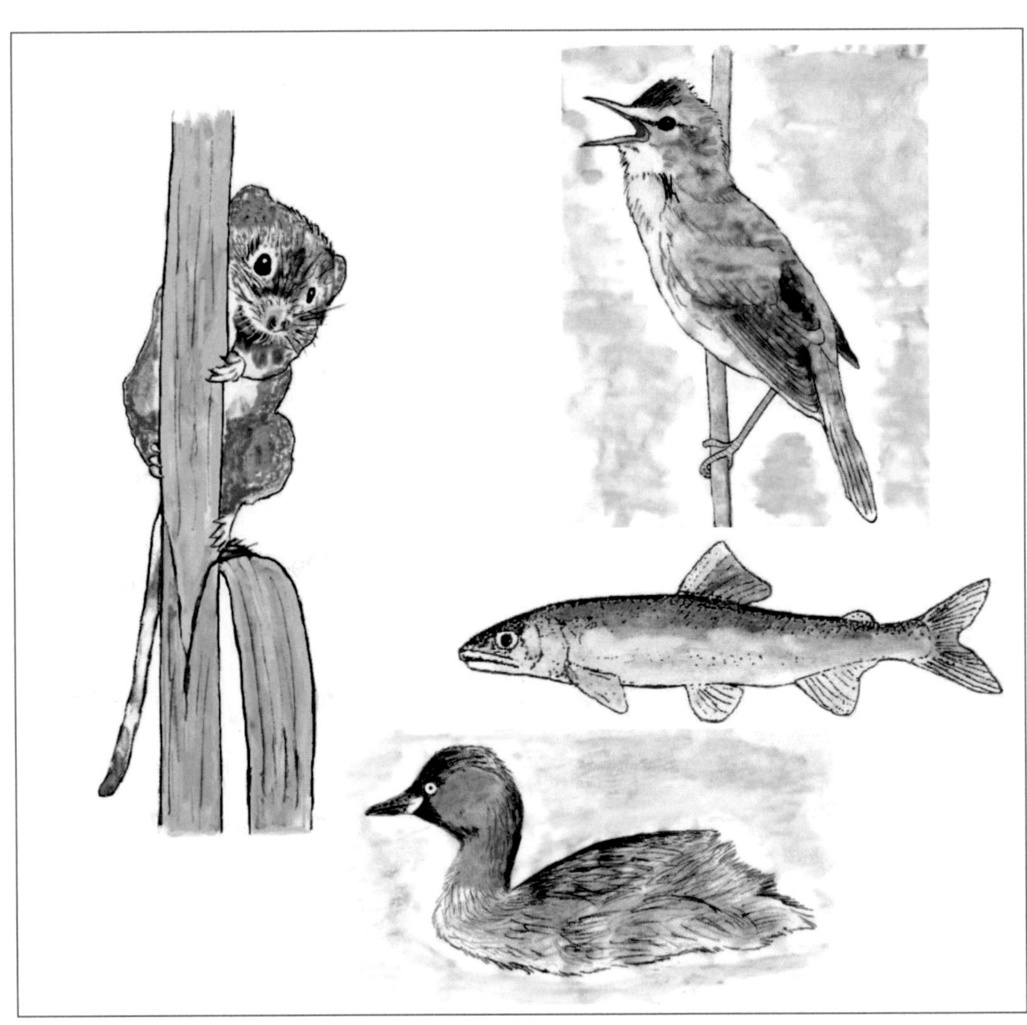

●● 6

生物編

長良川の生き物たちをじっくりと見つめよう

長良川水系は、多様で豊かな自然環境に満ちています。川をのぞいて見ると、必ず多様な生き物との出会いがあります。川の中をのぞいてみますと、アユやウグイなどの魚たちが悠々と泳いでいたり、サギの仲間が魚を探していたりもします。そのそばでカメが甲羅ぼしをしているかもしれません。川原には必ず何らかの植物が繁茂し、草むらをのぞくと、小さな生き物が動き回っている様子を見ることもあります。

川を取り巻く様々な環境に合わせて、生き物たちが関わり合いながら、個体維持や種族保存のために生き抜いている姿をきっと目にすることができるでしょう。

じっくりと生き物たちをありのまま観察することで、どうしてこの生き物は、この環境ポイントにいるのだろう。なぜこのような形態をしているのか、どのような生態なのか、と疑問がふつふつと湧き出てくることでしょう。

生き物へのアプローチの仕方を学んで「じーっと見ている」と前述したような疑問が少しずつわかり出し、生き物たちの真実や本質までが見えてくるようになります。

大切なことは、ありのままの生き物たちを自分自身の目で見て、聞いて、体感する、つまり「生き物とふれあい､感じる」ことです。生き物に対する見方や考え方ががらりと変わって、その生き物の素敵さやすばらしさに気づいたり、真実や本質に気づいたりすることにつながります。さらには、もっと多くの生き物たちをじっくりと観察し、深くふれあいたくなってくるでしょう。さあ、自然への扉を開いてみましょう。たくさんの生き物との出会いが待っています。

1	水辺から５mの植物観察を２カ所で比べて調べよう
観察場所	上流域～下流域の水辺

観察のポイント

●比較して観察する⇒ 2カ所の水辺の植物を比較調査してそれぞれの河川植生断面図を描く。

●変化を追って観察する⇒水からの距離によっての環境の変化と植物との関連を考えて観察する。

●他の事象と関連づけて考える⇒水量、川幅、土砂等と植物の生態や形態との関連を考えることができる。

■５mひもを使った簡易ベルトトランセクト法（水辺の植物観察法）

５mひもを使った簡易ベルトトランセクト法を取り入れることで、植物（群落）の観察が科学的にでき、その場所の自然事象の比較、関連性、変化を読み取ることができる。

＜メリット＞

・短時間に何度もくりかえし観察できる。
・植物群落を構成している植物種や優先種に着目することができる。
・植物名がわからなくても記号(A、アなど)で記入し、後で資料(標本・デジカメ)等で調べることができる。
・水環境（水量、流速、水温等)、土環境（岩石、土等）とかかわった観察ができる。
・地域ごとの河川植生断面図資料を比較することで、植生の違いが視覚的にわかる。

＜準備する物＞［講師側:5mのロープ（グループに1本)］［生徒側:バインダー・筆記用具］

＜時　間＞ １ポイント10分～２０分程度

＜方法＞

①水際から５mのロープを伸ばし、その両側10㎝のところに生えている植物の種類と数を数えていく。

②種類をもとに簡略な植物画で河川植生断面図を描く。

←ツルヨシの群生

水際から５mまでひもを伸ばした様子

＜注意点＞

・中流域では、河原が広く沿水域（不安定帯）には植物が生えていない場合もある。
　そのような場合は、水際から、植物が群落をつくっている場所までの距離を5mひもで測ってから、植物観察を行う。

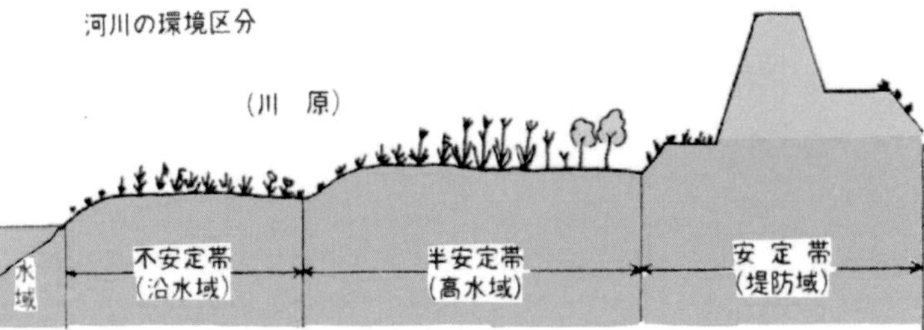

・草むらに入るときは長そで、長ズボンで、またアレチウリなどのとげのある植物に注意。

観察ノート	1	水辺から5mの植物観察を2カ所で比べて調べよう	年　　月　　日

■5mのロープの上の水辺の草の観察をしましょう。

具体例(右下図を参考にして、書き込もう)

○夫婦滝

水際には植物が生育しなく、3mからスゲ類がはえる。

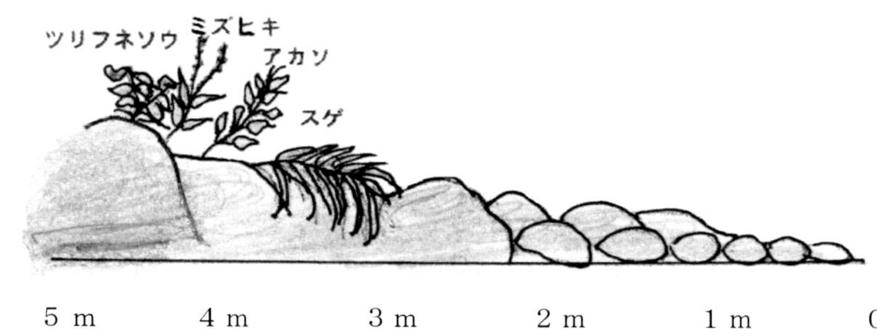

5 m　　4 m　　3 m　　2 m　　1 m　　0

○白鳥文化会館裏A

洪水時にもたえることができるツルヨシが多い。

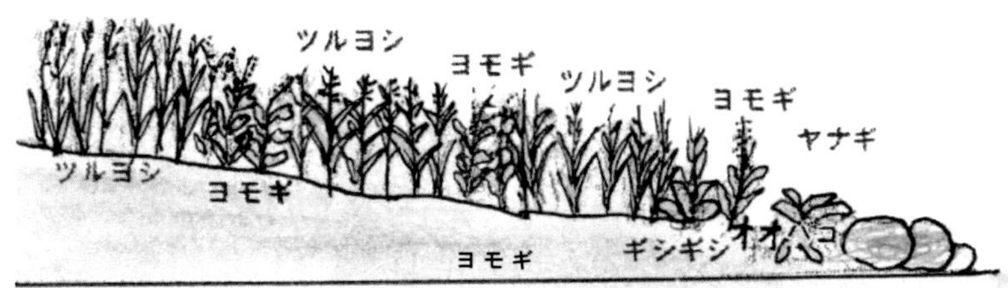

5 m　　4 m　　3 m　　2 m　　1 m　　0

A地点（　　）		
		5 m　4 m　3 m　2 m　1 m
B地点（　　）		
		5 m　4 m　3 m　2 m　1 m

考察・気づいたこと（水量、川幅、土砂、水からの距離などで）

2	４種の(シラ)サギを見分け、行動観察しよう
観察場所	上流域～下流域の河川や池、水田、湿地など

観察のポイント

●比較して観察する⇒ シラサギの仲間の形態的な特徴をとらえて、サギを見分けることができる。

●変化を追って観察する⇒サギの動き、位置等の変化などを行動観察することができる。

●他の事象と関連づけて考える⇒サギの食べ物や周囲の環境について、形態や生態（行動）と関連づけて考えることができる。

■4種類のシラサギを見分ける

・**ダイサギ** （大型サギ。首も長い。くちばしは黄色、口角が眼より後ろ）

シラサギの中で最も大きいサギで、全長約90cm。全身は白色です。くちばしは繁殖期では黒、非繁殖期は黄色をしています。脚は黒っぽい。コサギ、チュウサギなどよりも水深の深いところでエサ探しをします。これは、脚が長いことから、より深い水の中をエサ場として利用することができることからです。

大型サギのダイサギ→

・**チュウサギ**（中型のサギ、くちばしは黄色、口角と眼とが同じ位置）

全長70㎝ほどの中型のサギで、 ダイサギより一回り小さい。この３種では、一番数が少なく、岐阜県では、準絶滅危惧種になっています。ダイサギもくちばしが黄色なので、両者の区別が特に難しいです。口角（口の端っこ）が眼とほぼ同じ位置なのがチュウサギ。口角が眼より後ろなのがダイサギです。これが大きな区別点です。

・**コサギ**（くちばしは年中黒、脚も黒く指だけは黄色、一時期、冠羽が２本）

湖沼や河川のほとり、水田など、年中見ることができます。ただ脚が短いため水深の深い所にはあまりいません。他のサギが獲物をジッと待つことが多いのに対して、コサギは活発にいそがしく歩き回っていることが多いです。

小型のコサギ→

・**アマサギ** （小型のサギ、くちばしは年中黄色）

コサギによく似た小型のサギですが、夏季には頭や胸、背などの部分が亜麻(オレンジ) 色になります。そこからアマ(亜麻) サギと名がつきました。この夏羽のきれいな亜麻色は婚姻色です。繁殖期には、目先やくちばしも婚姻色になり、赤みを帯びます。

亜麻色のアマサギ→

＜準備する物＞ ［講師側：双眼鏡（あればさらによい）］

［生徒側：バインダー・筆記用具・時計］

＜時　間＞　　10分～30分程度

＜注意点＞

・この４種のシラサギに似たサギでアオサギがいます。羽根は青というより灰色をしている大型のサギで、川や池の中などで、じっと魚を見ていることが多いです。

・シラサギや周囲の生息環境をよく理解した上で影響がないように、つとめましょう。

羽根が灰色のアオサギ

観察ノート	2	4種の(シラ)サギを見分け、行動観察しよう	年　月　日

■4種類のシラサギの区別点を参考にして、どのサギか見分けてみよう。

ポイント		ダイサギ	チュウサギ	コサギ	アマサギ
全長		大型（90cm）	中型(約70cm)	小型(約60cm)	小型(約50cm)
頭やくちばしの色や形	夏	緑色 口角（口の端っこ） 黒色	口角 黒色 黄色	黒色 飾り羽	黄色 橙色
	冬	口角（口の端っこ） 黄色	口角 黒色 黄色	黒色	黄色
		くちばしが長く口角が目より後ろ	くちばしが太短く口角が目より前	年中くちばしが黒い、夏に飾り羽	くちばしは年中黄色で太短い
足の色		黒色	黒色	黒色	黒色
指の色		黒色	黒色	黄色	黒色

観察対象となるサギの種類は

そのわけは

■じっくりとサギの行動を観察しよう。

シラサギの行動記録図

①川（環境）の全体図をかく

②位置をマークし時間を書き込む

その時の行動も書き込む

③→でつなげる

（サギのスケッチもよい）

シラサギの行動観察図の例

■気がついたこと

（生態や環境面で）

3	カメを見分け、じっくりと行動を観察しよう
観察場所	上流域～下流域のゆったりとした流れの河川や池など

観察のポイント

●比較して観察する⇒３種類のカメの形態的な特徴をとらえて、カメを見分けることができる。

●変化を追って観察する⇒カメの動き、位置等の変化を時間をかけて行動を観察をすることができる。

●他の事象と関連づけて考える⇒カメの食べ物や周囲の環境、すみかについて動きなどの行動と関連づけて考えることができる。

■岐阜県の河川に多い3種のカメを見分ける

・ミシシッピアカミミガメ（子ガメはミドリガメ）

名前のようにアメリカ原産の外来種で、頭部に赤い紋があることから、このような名前がつきました。よく見ると甲羅や首、足にも黄色いラインがあります。ただし、オスは歳をとると黒っぽくなり、赤紋や黄色いラインが分かりにくくなります。

ミシシッピアカミミガメの子ガメはミドリガメとよばれ、ペットショップで売られています。

・ニホンイシガメ（子ガメはゼニガメ）

クサガメとそっくりですが、甲羅の尾側の形がギザギザです。ただし、歳をとった個体は、甲羅のふちがすり減ってギザギザが分かりにくい場合も多いです。また、甲羅の真ん中に１本の稜(隆起部)があることが、クサガメとの区別点です。クサガメよりやや上流の支流に生息しています。

尚、ペットとして輸入されているゼニガメ(銭亀)は、現在クサガメが多いが、元々はニホンイシガメです。

ニホンイシガメ　※（アクア・トトぎふにて）

・クサガメ

足のつけ根からくさいにおいを出します。そこから臭ガメと名がつきました。最近の遺伝子の調査から、中国から人為的に導入された外来生物とも考えられています。また、ニホンイシガメとの交雑個体も見つかっています。

頭部の黄色の破線と甲羅の３本の稜(隆起部)がニホンイシガメとの大きな区別点になっています。

クサガメ　※（アクア・トトぎふにて）

＜準備する物＞　[講師側：双眼鏡（あればさらによい）]

[生徒側：バインダー・筆記用具・時計]

＜時　間＞　10分～60分程度

＜注意点＞

・スッポン、カミツキガメ、ワニガメに注意しよう。３種類とも手を出すとかまれますので、絶対に触らないようにしよう。

・特にカミツキガメやワニガメは、特定外来生物として指定されています。もしこの２種を見つけたら、市役所や警察等の公的な機関に連絡してください。

スッポンの頭は鋭角三角形

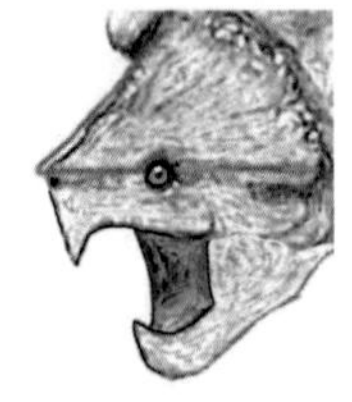

カミツキガメの頭も三角形

観察ノート	3	カメを見分け時間をかけ行動を観察しよう	年　月　日

■3種類のカメの区別点を参考にして、どのカメか見分けてみよう。

観察対象となるカメの種類は

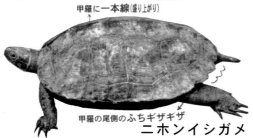

甲羅に一本線(盛り上がり)

甲羅の尾側のふちギザギザ

ニホンイシガメ

目立つ赤い紋

甲羅に黄色や黒のしま

首や足に黄色いライン

腹側が黄色

ミシシッピアカミミガメ

甲羅に三本線(盛り上がり)

黄色い破線

甲羅の尾側のふちなめらか

クサガメ

そのわけは

■時間をかけて、じっくりとカメの行動を観察しよう。　カメの行動記録図

①川の全体図をかく

②位置をマークし時間を書き込む

その時の行動も書き込む

③→でつなげる

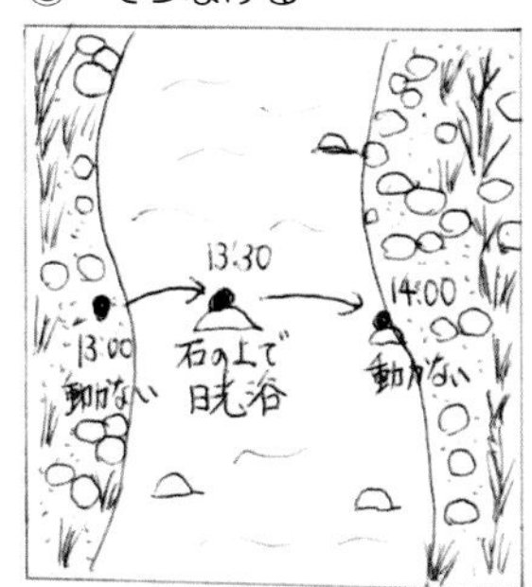

カメの行動記録図例

■気がついたこと

(生態や環境面で)

4	山に生えているのは、針葉、広葉、それとも竹？
観察場所	上流域～下流域の山（バスや乗用車の車窓から）

観察のポイント

- ●比較して観察する⇒ 山を構成している樹木の形から樹種(針葉樹・広葉樹・竹)を見分け、分布状況を観察する。
- ●変化を追って観察する⇒山の高低差（山頂、尾根、ふもと）や日光の当たり方、地形の違い(変化)で観察する。
- ●他の事象と関連づけて考える⇒日当たり、山の地質や地形(岩が露出、谷等)環境と生えている樹種との関係。

■針葉樹か広葉樹か、それとも竹か？

山を見つめてみましょう。タケは山のどの位置に見られるでしょう。山頂や中腹にはなく、ふもとです。

タケは雪がとても苦手で、雪で倒れてしまいます。雪が多くない場所を好みます。したがって、上流域の北へ進めば進むほどタケは少なくなっていきます。

針葉樹と広葉樹の違いは下の表のようになります。

針葉樹は、葉が針のように細い葉です。マツやスギ、クリスマスツリーで有名なモミ、アスナロ、ツガです。これらは、樹形がおよそ三角形をしています。

△に見える針葉樹の樹形

それに対して**広葉樹**は、葉が幅広で、樹形が樹木の先端がとがらず、丸くなったり、平坦になったりしています。アベマキ、コナラ、ツブラジイ、アラカシ、ケヤキなどが代表です。

特に最近、大雨特別警報が出て、記録的な大雨で山が崩れることがあります。その場所は、ほとんど、針葉樹のスギ、ヒノキ林です。これは、針葉樹の根は、横への広がりがなく、枝の広がり程度しかありません。したがって広葉樹と比較すると、山が崩れる可能性が高くなるからです。

それに対して広葉樹は、枝を横に広げ、それと同じくらいの範囲、しっかりと横に根っこを広げて踏ん張っていますから、針葉樹と比べれば、崩れにくいのです。

針葉か／広葉／竹／項目	針葉樹	広葉樹	竹
代表種	スギ、ヒノキ、シラビソ、コメツガ、アカマツ、コウヤマキ、ツガ、トウヒ、ハイマツイチイ、イチョウなど	ブナ、アラカシ、シラカシ、ツブラジイ、ミズナラ、アベマキ、コナラ、カエデ、クスノキ、ケヤキなど	マダケ、ハチク、モウソウチク、メダケ、クロチク、ホテイチク、チシマザサなど
葉	平たく細長で先が尖っている	幅広で表裏がある	平たく細長く先が尖る
樹形	先がとんがり、上に向かって伸びる	先が丸っこく、横に広がる（楕円やおにぎり型）	真上に向かって伸びる（色が黄緑色）
根	縦に伸びる	横に広がるように伸びる	地下茎で横に広がる

※1年を通じて葉をつけているかいないかで、**針葉樹**を**常緑樹**、**広葉樹**を**落葉樹**ともよびます。

■山を構成している樹木調べからわかること（例）

・ふもと部分に竹林がある。・山には針葉樹と広葉樹が混ざった山もあれば、針葉樹だけ広葉樹だけの山もある。山によって違いがある。・山の谷筋は広葉樹になっている。（以下略）

観察ノート	4	山に生えているのは、針葉、広葉それとも竹？	年　月　日

■山を構成しているのは針葉樹、広葉樹、それとも竹か描いてみよう。

・山に生えている樹木を簡単な図で描いてみましょう。

スギ・ヒノキなどの針葉樹…

コナラ・アベマキなどの広葉樹…

竹林…直線に近い斜め線

見本図→

■観察からわかったこと

■観察から思ったこと・考えたこと（特に環境とのかかわりで）

5	2種類のタネ(果実)をさがして観察しよう
観察場所	上流域～下流域の水辺の草むらや森林

観察のポイント

●比較して観察する⇒2種類のタネ(果実)を見つけて、それぞれの特徴を比べて観察する。

●変化を追って観察する⇒親の植物（樹木や草）からどのように散布されたのか、また今後これからどのように散布(さんぷ)していくのかを予想する。

●他の事象と関連づけて考える⇒親の植物(樹木や草)をさがす。タネの形態や環境状態からタネ散布方法を予想する。

■タネ散布とは、散布方法は？

植物は動物と異なりふだん動けないですが、タネのときだけ動くことができます。タネが動いて、生活圏を広げることを「タネ散布」といいます。

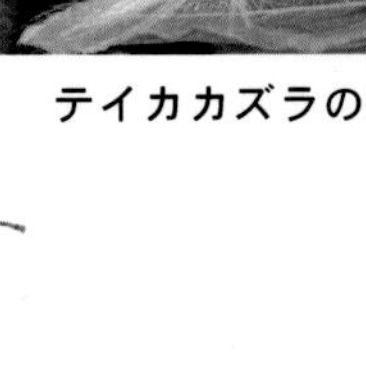

テイカカズラの綿毛

「風散布」（風や気流を利用して散布する方法）

A綿毛のある植物…センニンソウ、タンポポ、アザミ、ブタナ、テイカカズラ

B翼（よく）のある植物…ヤマノイモ、アオギリ、カエデ、イタドリ

C微細なタネの植物…シラン、エビネ

D葉を翼代わりにして小枝ごと回転しながら飛ぶ…ケヤキ

小枝ごと飛ぶケヤキ

E裂開しないで豆果（とうか）で風を受け散布する植物…ネムノキ、ハギ、ハリエンジュ

オニグルミの果実

「水散布」（水流や降水を利用して散布する方法）

A河川流を利用する植物…オニグルミ　　B雨水流を利用する植物…ネコノメソウ

C雨の降る勢いを利用する植物…タツナミソウ

「動物散布」（動物を利用して散布する方法）

A鳥などの動物に食べてもらって散布する植物…サクラ、ゴンズイ、カキ

B動物が食料を貯蔵する習性を利用し散布する植物…コナラ、アベマキ

Cアリのエサをつけて、アリに運んでもらう植物…カタクリ、スミレ

D動物に付着して運んでもらう植物（ひっつきむし）

アレチヌスビトハギ、アメリカセンダングサ、イノコズチ、オオオナモミ

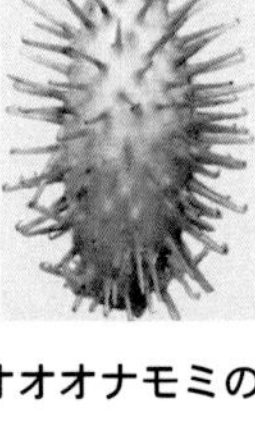

オオオナモミの果実
（中に大小の種子が２個）

図 アレチヌスビトハギの果実（表面にカギ状にまがった毛あり）

「自発散布」（自分の機能で散布する方法）

タネをはじき飛ばす機能を備えている植物…フジ、ゲンノショウコ、スミレ

＜準備する物＞［講師側：虫メガネ（あればさらによい）］
［生徒側：バインダー・筆記用具・ビニール袋（タネを入れるもの）］

＜時　間＞　10分～20分程度

＜注意点＞

・河原の草むらや森林に入るときは、必ず長そで、長ズボンで観察する。

・アレチウリやノイバラ、クコなどのトゲのある植物に注意して観察する。

観察ノート	5	2種類の植物のタネ(果実)をさがして観察しよう	年　月　日

■親の植物を探し、どのようにタネをまき散らすのか考えよう。

図	図
気がついたこと	気がついたこと
タネ(果実)の親植物をさがそう	タネ(果実)の親植物をさがそう
タネ(果実)をまきちらす工夫は？ ある、ない	タネ(果実)をまきちらす工夫は？ ある、ない

6	手や鼻も使って２種類の植物の葉を比べてみよう
観察場所	上流域〜下流域の水辺の草むらや森林

観察のポイント

●比較して観察する⇒ 2種類の植物の葉を見つけて、諸感覚（手・鼻）も使って特徴を比べて観察する。

●変化を追って観察する⇒２種類の植物の環境の違い（例：川からの距離など）を考えて観察する。

●他の事象と関連づけて考える⇒日光の当たり方、川からの距離、大水の時に水没するような場所等の条件と関連づけて考える。

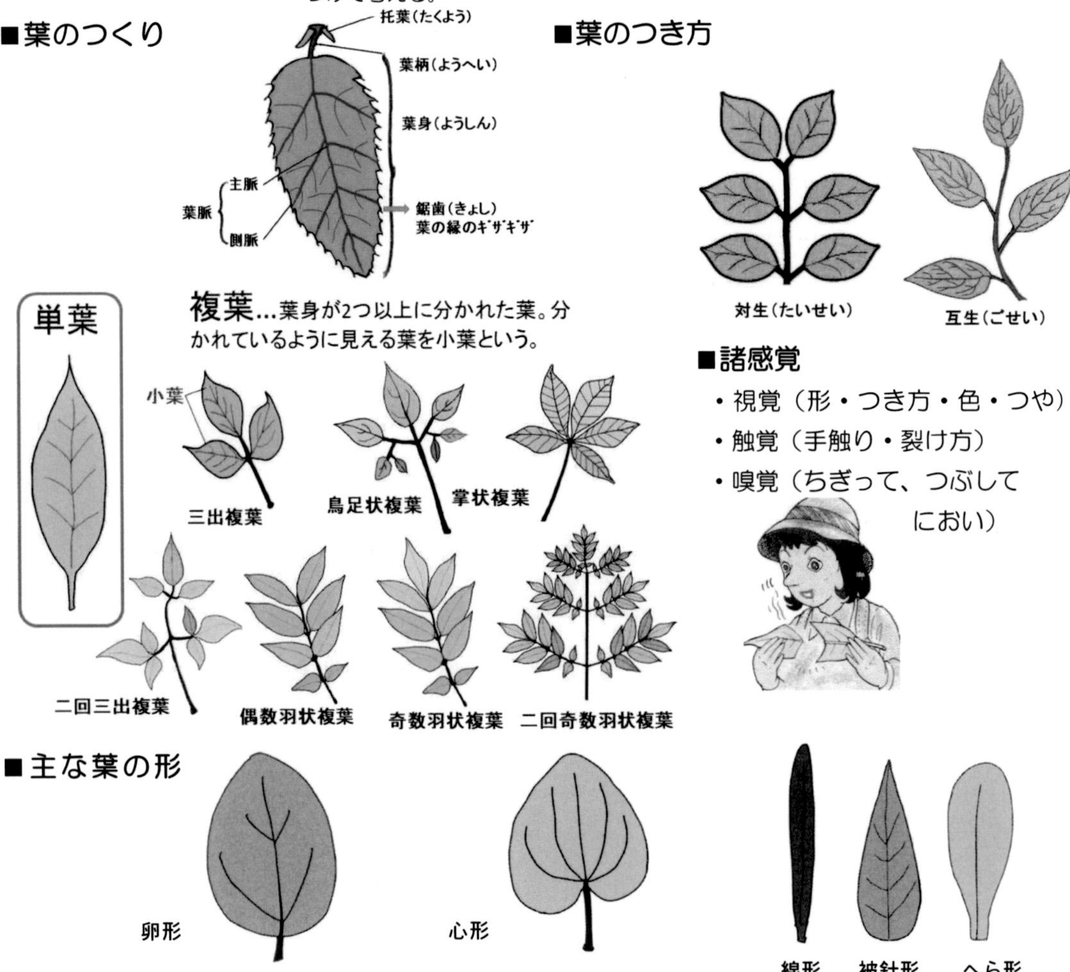

■主な葉の形

卵形　心形　線形　被針形　へら形

■２種類の植物を見つけ、諸感覚を使って葉をくわしく観察しよう。

＜準備する物＞ ［講師側：虫メガネ（あればさらによい）］

［生徒側：バインダー・筆記用具・スケッチブック（葉をはさむもの）・セロハンテープ ］

※観察ノートの図の所に葉の実物をセロンハンテープで貼り付けてもよい。

※スケッチブックではさんでおいた葉は、乾燥させてから後で貼ることもできる。

＜時　間＞　10分〜２０分程度

■「諸感覚を使って２種類の植物の葉を比べてみよう」の観察からわかること

・葉の形やつき方、つくり、様々あり、それらは植物の種類で決まっていること。(以下略)

観察ノート	6	2種類の植物の葉をくわしく比べよう	年　月　日

■視覚だけでなく触覚や嗅覚も使って、2種類の植物の葉の違いを見つけよう。

図	図
目で気がついたこと	目で気がついたこと
手や鼻を使って気づいたこと	手や鼻を使って気づいたこと
思ったこと考えたこと	思ったこと考えたこと

7	カワゲラウオッチングで2種類の水生生物を調べよう
観察場所	上流域〜下流域の河原、池など

観察のポイント

●比較して観察する⇒ 2種類の水生昆虫の形態を比較し、大まかな分類をして、観察して記録する。

●変化を追って観察する⇒水生昆虫のすみ分けを、深さや流れの違う環境で比較して観察する。

●他の事象と関連づけて考える⇒指標生物としての水生昆虫を調べ、水質と関連づけて水の環境を考える。

■カワゲラウオッチングで水生生物（主に水生昆虫）を観察しよう。

水生生物(昆虫)は、川の水質環境（きれいさ）を知る指標生物となっています。右図のように大きくは８つに分かれます。

- **カゲロウの仲間**（きれいな水）普通は尾は3本。一部2本の種もいる。足のツメは１本。
- **カワゲラの仲間**（きれいな水）尾は2本。足のツメも２本。エラはふさ状。
- **トンボの仲間**（ややきれいな水）口は噛む形。体型はイトトンボ型、ヤンマ型、トンボ型の3型がある。
- **タガメ・アメンボの仲間**口はストローのような吸う型。タイコウチやミズカマキリも同じ仲間。
- **ヘビトンボ・ホタルの仲間**（ややきれいな水）ヘビトンボは、腹の両側に足のようなエラがある。
- **トビケラの仲間**（ややきれいな水）チョウやガに近い仲間。
- **ミズスマシ・ドロムシの仲間**（ややきたない水）ゲンゴロウやガムシもこの仲間。
- **カ・ユスリカ・ガガンボの仲間**（きたない水）ブユやアブもこの仲間。このグループの幼虫は脚がなく、一般的にイモ虫形であり、眼がありません。成虫は双翅目なので、翅が2枚。

カゲロウの仲間　カワゲラの仲間　トンボの仲間（ヤゴ）　タガメ・アメンボの仲間

口は噛む形　口は吸う形(ストロー型)

足のツメが1本　足のツメが2本

尾は2〜3本(3本が多い)　尾は2本

ミズスマシ・ドロムシの仲間

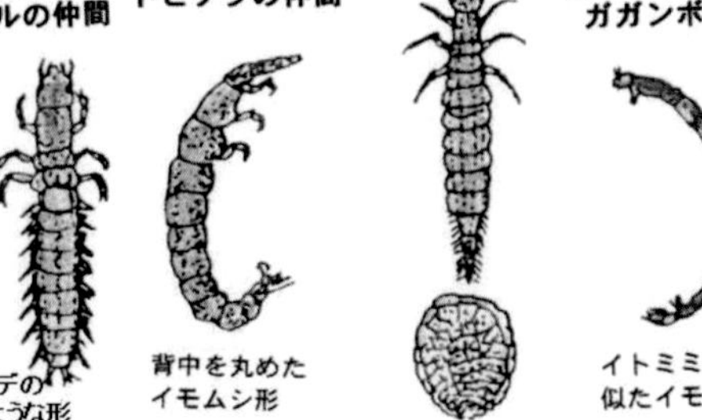

図　水生昆虫の仲間と形態の特徴

■カワゲラウオッチングで水生生物（昆虫）を観察しよう。

<準備する物> [タモ網、ざる、ピンセット、ルーペ(虫メガネ)、バット、バケツ、長靴か濡れてもよい靴(足全体が隠れるもの)、ぼうし、タオル、筆記用具(記録時)、バインダー(記録時)

<方　法>

①下流側で網をかまえて、上流側の石をとり、底をかき回して流れ出た生物を網でうける。

②石の表面や網についている生物をピンセットでバットにうつす。

③バットに入れた生物をルーペを使ってよく観察し、どんな生物がいるか調べる。

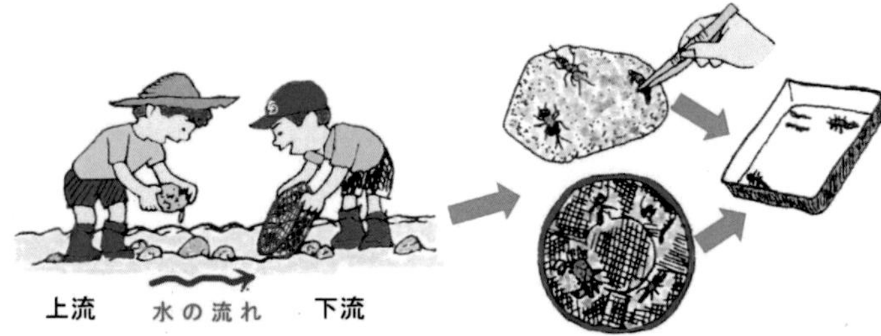

図　カワゲラウオッチングの方法

<時　間> 30分〜60分程度

<注意点>

- 飼育はとても難しいので、調べた後は生き物をもとにもどす。（研究等の目的のある場合は別）
- 川の深い所や流れが速い所ではカワゲラウオッチングは行わない。

観察ノート	7	カワゲラウオッチングで水生生物を調べよう	年　月　日

■カワゲラウオッチングで２種類の水生生物（主に水生昆虫）をくらべてみよう。

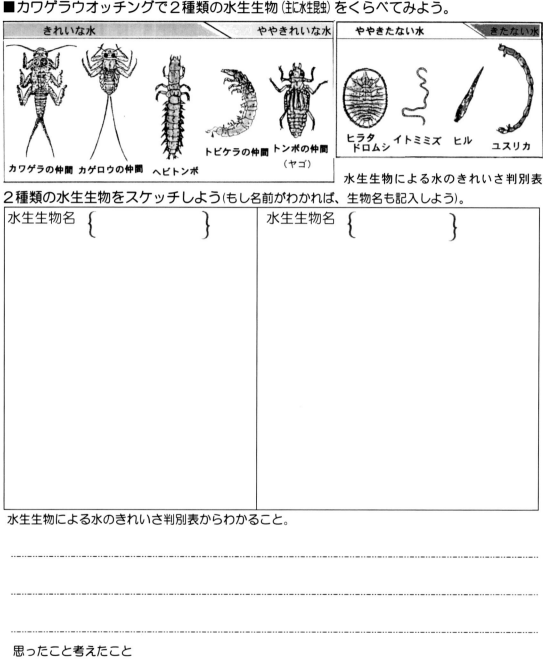

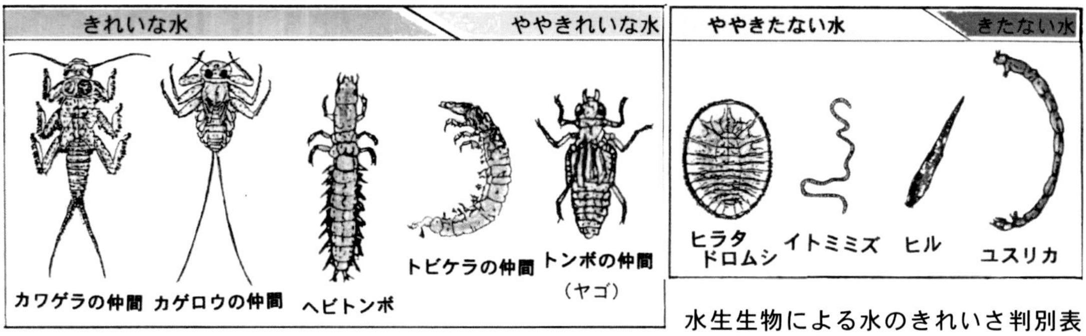

きれいな水　ややきれいな水

カワゲラの仲間　カゲロウの仲間　ヘビトンボ　トビケラの仲間　トンボの仲間（ヤゴ）

ややきたない水　きたない水

ヒラタドロムシ　イトミミズ　ヒル　ユスリカ

水生生物による水のきれいさ判別表

２種類の水生生物をスケッチしよう（もし名前がわかれば、生物名も記入しよう）。

水生生物名 {　　　　}	水生生物名 {　　　　}

水生生物による水のきれいさ判別表からわかること。

思ったこと考えたこと

8	3つの科学的ｽｷﾙのﾌｨｰﾙﾄﾞﾋﾞﾝｺﾞで自然を感じよう
観察場所	上流域～下流域の水辺の草むらや森林

観察のポイント

●比較して観察する⇒ ﾌｨｰﾙﾄﾞﾋﾞﾝｺﾞの比較のｱｲﾃﾑを選び、ｹﾞｰﾑを通して比較して観察し、自然を感じとれる。

●変化を追って観察する⇒ﾋﾞﾝｺﾞの変化のｱｲﾃﾑを選び、ｹﾞｰﾑを通して変化を観察し、自然を感じることができる。

●他の事象と関連づけて⇒ﾋﾞﾝｺﾞの関連づけのｱｲﾃﾑを選び、ｹﾞｰﾑを通し関連づけて考え自然を感じることができる。

■３つの科学的スキルが身につくフィールドビンゴのアイテム例(植物の場合)

＜比較して観察する＞

硬い葉と柔らかい葉（他の例：葉の周りのギザギザ(鋸歯)がある葉とない葉)。

手のひらより大きい葉を探そう（他の例：指より太い枝、自分の背より高い草)。

２種類の○○を見つけよう（例：黄色い花、赤い実、つるつるの葉、裏が白い葉)。

＜変化を追って観察する＞

同一種類の実と花を見つけよう(他の例：つぼみと花、芽生えと成体)。

つぼみを見つけ、花を予想して描こう(他の例：花を見つけ、実を予想)。

崖の場所と水辺に生えている同じ植物を比べよう。

洪水時の河原の植物の様子をイメージして書こう。

＜関連づけて考える＞

虫に食われた葉や虫こぶを探そう。

季節の特徴がある葉を見つけよう（例：紅葉と黄葉、葉芽）。

実を見つけの親の植物(ルーツ)を探そう（他の例：落ち葉の親の植物〈ルーツ〉)。

植物がその場所に生えている理由を考えよう。

なぜその植物が枯れたのか、葉がちぎられたのかその原因を考えよう。

長良川河川敷(郡上市あゆパーク)

図　フィールドビンゴ

■宝物アイテム(3つのスキル)を含んだフィールドビンゴを作成し、体験しよう。

＜準備する物＞［講師側：虫メガネ（あればさらによい)、右頁のプリント（交換する場合）］
［生徒側：バインダー・筆記用具］　　＜時　間＞　30分～40分程度

＜方　法＞

①ビンゴゲームにある「３つのスキルを含んだアイテム」を自由にマスに写す。
※３つのスキルが必ず１つは入るように選びましょう。

②宝物さがしに出発です。見つけたら○をつけましょう。縦、横、斜めに○が並んだらビンゴです。※作成したビンゴを仲間と交換してビンゴゲームをしよう。

③いろいろな感覚を使って、多面的に自然を見て、宝物アイテムを探しましょう。

＜注意点＞

・作成したフィールドビンゴを仲間と交換するとさらに多くの発見が…。

・河原の草むらや森林に入るときは、必ず長そで、長ズボンで活動する。

・ヤマウルシなどのかぶれる木やノイバラといったトゲのある植物に注意。

ヤマウルシ
の葉
羽状複葉が特徴
小葉が柄に近づくと小さく
なっていく

図　かぶれるヤマウルシ

[P97参照]

観察ノート	8	3つの科学的ｽｷﾙを含んだﾋﾞﾝｺﾞで自然を感じよう	年　月　日

■下の宝物アイテムから選んでビンゴシートのマスに入れよう。実際に活動しできたら○をつけ、４つ並んだらビンゴと叫ぼう！　名前（　　　　　　　　）

＜3つの科学的スキル＞　　　　＜ 宝 物 ア イ テ ム＞

＜比較して観察＞ ・２種類の鳥（虫）の声を聞こう。　・においのある植物を見つけよう。

・自分の△より○な□を見つけよう。（自分の体と比較して：例△手のひら○大きな□葉）

・２種類の○を見つけよう。（花、実、つぼみ、動物なら虫、魚、鳥etc）

＜変化追って観察＞・川の瀬から淵へ水の流れる音を聞こう。・水辺と堤防との地面の湿り気の違い。

・同一種類の植物の○と△を見つけよう。（花と実、つぼみと花、芽生えと成体etc）

・植物の○を見つけて△を予想しよう。（花と実、つぼみと花、芽生えと成体etc）

＜関連づけて考察＞ ・虫に食われた葉や虫こぶ。　・○の親植物（ルーツ）を探そう。（実、落ち葉）

・季節の特徴がある葉を見つけよう。（黄葉や紅葉、葉芽）

・動物がいる証拠を探そう。（羽根、フン、抜け殻、足跡、鳥の巣、クモの巣）

9	水草（主に沈水植物）とその環境を観察しよう
観察場所	上流域～下流域の水辺、池など

観察のポイント

●比較して観察する⇒ 陸地と川の環境（景観）、そこに生える水草（沈水植物）を陸性植物と比べて観察する。

●変化を追って観察する⇒流速、深さなどの環境の変化を考えて水草を観察する。

●他の事象と関連づけて考える⇒環境を構成している岩、土、砂や水の深さや流れと水草と関連づけて考える。

■水草（主に沈水植物）をくわしく観察しよう。

水草は、河川や湖沼に生育する植物のことです。水際に生育する植物もいれば、水中に生育する植物もいます。大きくは右図中の４種類に分かれます。

図　水草の生活形

[浮遊植物]根を含む植物全体が水中、あるいは水面を漂って生育する。（ウキクサ、イヌタヌキモ、ホテイアオイなど）

[沈水植物]植物体全体が水中に沈む植物です。ただし花や果実が水上に出る場合もあります。（クロモ、コカナダモ、オオカナダモ、オランダガラシ、セキショウモなど）

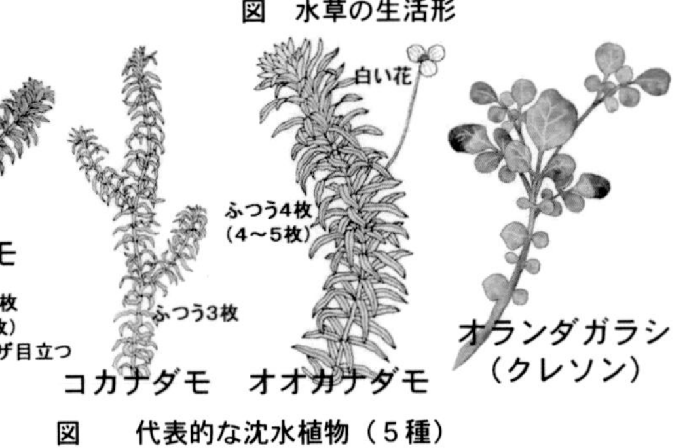

図　代表的な沈水植物（５種）

[浮葉植物]水底にある根から茎や葉柄を伸ばし、葉が水面に展開します。（ヒルムシロ、ヒシ、ガガブタ）

[抽水植物]根を地面に張り、茎や葉などの一部が水上に出ます。（ヨシ、ガマ、ミクリ、コウホネなど）

■水草（主に沈水植物）を見つけ、その様子をくわしく観察しよう。

＜準備する物＞［タモ網、小型ケース、バインダー、筆記用具、帽子、タオル、長靴か濡れてもよい靴（足全体が隠れるもの）］

＜時　間＞　20分～30分程度

＜方　法＞①タモ網で水草をすくい採る。②小型容器に入れて、水草の形態を観察する。③水草の生えている周囲の環境も記録する。

コカナダモ

＜注意点＞

・雨が降った翌日や水がにごっている時は、水に入らない。また、自分のひざよりも水深が深いところまでは入らないようにしましょう。

観察ノート	9	水草（主に沈水植物）とその環境を観察しよう	年　月　日

■水草を観察しよう。

図	気がついたこと

■水草のはえている周囲の環境をスケッチしよう。

スケッチ	気がついたこと（水の流れや岩・草木などの環境のことで）

10	ガサガサで2種類の小さな生物(主に魚)を調べよう
観察場所	上流域～下流域の本流、支流や用水路、池、など

観察のポイント

●比較して観察する⇒2種類の水生生物（主に魚）の形態を比較し、大まかな分類をして、観察して記録する。

●変化を追って観察する⇒水生生物（主に魚）のすみ分けを、深さや流れの違う環境で比較して観察する。

●他の事象と関連づけて考える⇒水生生物を調べ、深さ・流れと関連づけて、えさ、すみかや隠れ家等の環境を考える。

■水生生物（主に小魚）を見つけよう。

水生生物(主に魚)は、ゆっくり流れる川岸の入り江のような場所に多くいます。

泳ぐ力の弱い小さな魚でも、水の流れが緩い場所なら下流へ流されずにすみます。また、草があれば、大きな魚に食べられないように隠れることができます。

小さな水生生物は、草の下などを隠れ家にしているのです。水辺に草がある場所は特に多く生息しています。

図　水生生物が多く生息するポイント

■ガサガサで水生生物(主に魚)を捕らえて観察しよう。

＜準備する物＞

[タモ網(先が平たくなっているもの)、バケツ、長靴か濡れてもよい靴(足全体が隠れるもの)、ぼうし、タオル
小型ケース(透明)、ライフジャケット(あれば)、
筆記用具(記録時)、バインダー(記録時)

＜時　間＞ 30分～60分程度

＜方　　法＞

①タモ網を草のあるような場所に入れて、平たい部分を川底にぴったりつけ、草をガサガサして、ここに生き物を追い込みます。草の間でよく捕まるのは主に小さな魚たちです。いろいろな魚の子どもや、ドジョウやヌマエビなどが混じっています。

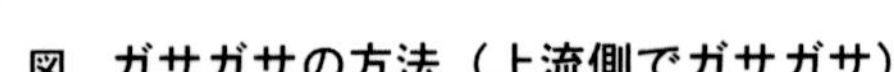

図　ガサガサの方法（上流側でガサガサ）

②捕まえた水生生物をケースなどに入れて横や上から観察してみましょう。

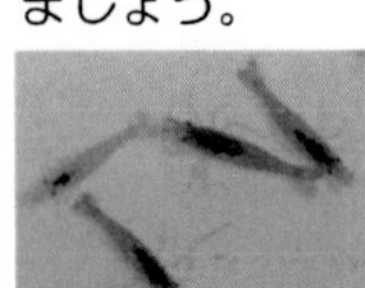

ヌマエビ

ヨシノボリの仲間

シマドジョウ

ヌマエビ(15)ヨシノボリの仲間(4)アブラハヤ(3)
シマドジョウ(1)アメリカザリガニ(1)フナ(1)ヤゴ(1)

小型ケースに入れた水生生物

＜注意点＞

・雨が降った翌日や水がにごっている時は、ガサガサは行わない。

・自分のひざよりも水深が浅く、流れが緩やかな場所で行う（足もとの水深を測ってから水に入ろう。また川底は何[岩盤やコンクリート、砂礫等]なのか事前にチェックしましょう）。

・水生生物はできるだけ元の環境にもどそう（観察のため飼育したい場合は同じ環境をつくろう）。

観察ノート	10	ガサガサで2種類の水生生物（主に魚）を調べよう	年　月　日

■もし魚が捕れたら魚を体型とヒゲやひれ等特徴から大まかな名前を調べてみよう。

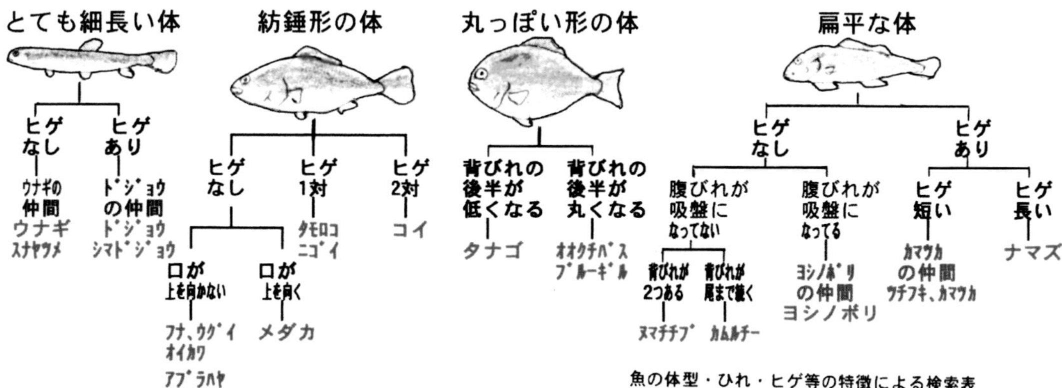

魚の体型・ひれ・ヒゲ等の特徴による検索表

■２種類の水生生物（主に魚〈エビ・水生昆虫〉）をスケッチしよう（もし名前がわかれば、生物名も記入しよう）。

水生生物名 ｛　　　　　　｝	水生生物名 ｛　　　　　　｝

水生生物がいた環境について（えさやすみか等）

....

....

....

思ったこと考えたこと

....

....

11	川での食物連鎖を考えてみよう
観察場所	上流域～下流域の水辺

観察のポイント

●比較して観察する⇒個体数、生き物の大きさを比べ、食物連鎖ピラミッドに生物をあてはめ観察できる。

●変化を追って観察する⇒低次から高次への個体数、大きさの変化に気づき、生物をあてはめて、観察できる。

●他の事象と関連づけて考える⇒「食う」と「食われる」の関係を考慮して、食物連鎖ピラミッドに生物をあてはめ環境と関連づけて観察できる。

■食物連鎖

「食べる（捕食）、食べられる（被食）、分解する」ということを通して、ある一定の地域の生物はすべてつながっており、このつながりを「食物連鎖」と呼びます。人を含めた地域の生物は単独ではなく、つながりの中で共生しています。

植物は、自ら養分をつくり出すことができるので「生産者」。動物は自ら養分をつくることができず、他の生き物を食べることから「消費者」。生産者である植物〈葉や実〉を消費者〈昆虫や草食動物〉が食べ、その〈昆虫や草食動物〉は〈肉食動物や大型の鳥など〉に食べられ、右図のように高次になるほど体長が大きくなります。

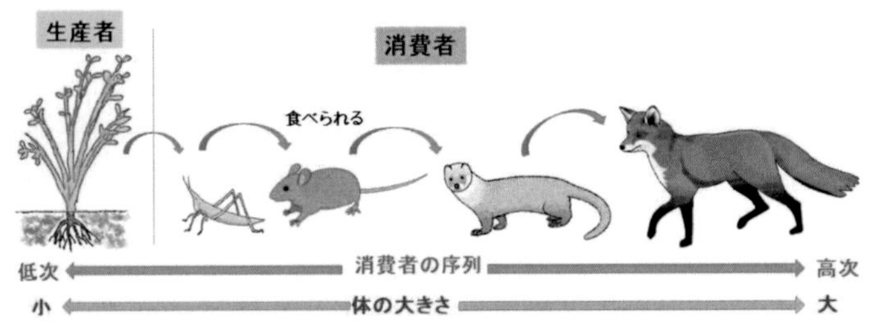

図　上位に食われる食物連鎖

■一番弱い生き物は、高次消費者

食物連鎖ピラミッドの一番てっぺんにいる高次消費者が、最強のように考えられがちですが、下位の消費者がいなくなると、たちまち、食物連鎖ピラミッドは崩れます。高次消費者は、エサがなくなり一番最初に、その場所にはいられなくなります。

ある意味、てっぺんの高次消費者が、環境変化に一番影響を受けやすい、最も弱い生き物ともいえるのです。

したがって、いつもワシ・タカといった猛禽類の有無がその森林環境の豊かさの指標となっているのです。

図　食物連鎖ピラミッド

＜準備する物＞

［講師側:双眼鏡（あればよりよい）］

［生徒側:バインダー・筆記用具］

＜時　間＞ 10分～20分程度

＜方　法＞　小型と大型の肉食動物を見つけ、観察ノートの｛　　｝に名前か図を書き込みます。

観察ノート	11	川での食物連鎖を考えてみよう	年　月　日

■川での生き物の「食う・食われる」の関係を考えよう。

あなたが見つけた生き物はどこに入るでしょうか？

名前か図を｛　｝の中に書きこみましょう。

食物連鎖ピラミッド

自然界の食う・食われる関係を上の生き物が下の生き物を食べる関係で表したもの。
個体数は下へ行くほど多いためピラミッドのような形になる。
生物の大きさは上にいくほど大きくなる。

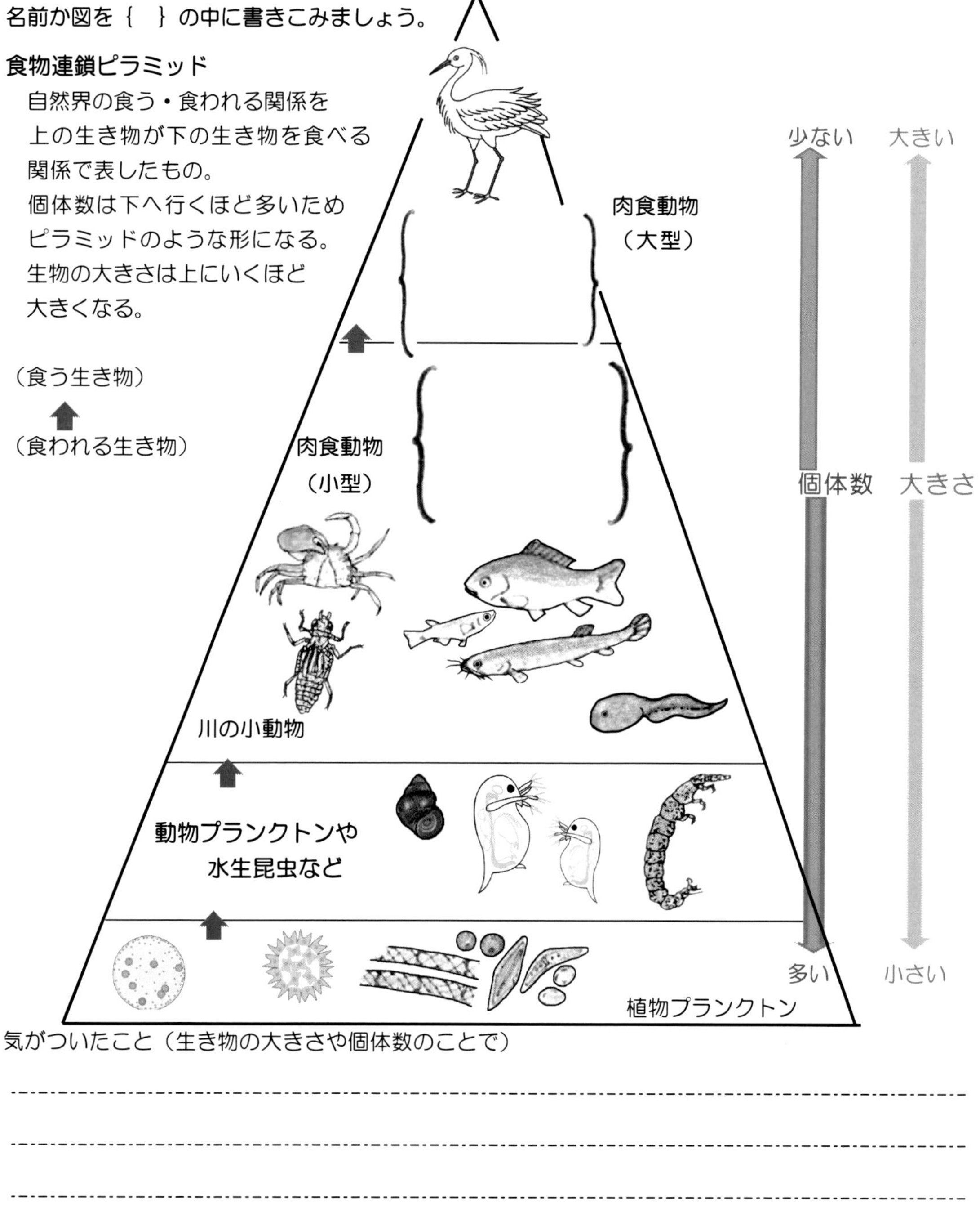

気がついたこと（生き物の大きさや個体数のことで）

12	生き物(動物)のﾌｨｰﾙﾄﾞｻｲﾝを見つけよう（ｱﾆﾏﾙﾄﾗｯｷﾝｸﾞ）
観察場所	上流域～下流域の河原やその周辺

観察のポイント

●比較して観察する⇒ﾌｨｰﾙﾄﾞ ｻｲﾝがある環境とない環境を比べ、動物の生態やその環境を考えることができる。

●変化を追って観察する⇒ﾌｨｰﾙﾄﾞ ｻｲﾝから生き物（動物）の種類や何をしていたのか推測することができる。

●他の事象と関連づけて考える⇒えさや隠れ家などの環境要素と関連づけて動物の行動を考えることができる。

■フィールドサインとは、アニマルトラッキングとは、

野生の動物（主に哺乳類）の多くは、夜に活動します。昼に野生の動物（主に哺乳類）を観察することはほとんど不可能です。そこで、そういった生き物の生活痕跡（足跡やフン、食痕など）を調べ、生き物の種類や何をしていたのかなどを推察することができます。哺乳類などの動物の生活痕跡をフィールドサイン、そして、調べることをアニマルトラッキングといいます。

一方、昆虫のフィールドサインは、虫の種類が多いため、生活痕がより複雑で巧妙なことから「虫のしわざ」ともいわれます。

マツぼっくりをリスが、かじった痕

リスのエビフライ

実はリスに食べられた
オニグルミの殻

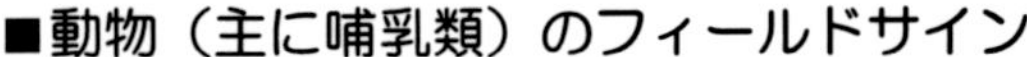

■動物（主に哺乳類）のフィールドサイン

- 足跡[例：泥や砂上の足跡]　・けもの道、水飲み場
- 巣や巣穴［例：モグラの巣]
- 食痕(木や実をかじったりした跡)［例：リスがマツぼっくりをかじった］
- フン［例：タヌキのためフン］　・ぬけがら（ヘビの脱皮跡）

光沢なし。あればカラスの羽根

■動物（主に鳥類）のフィールドサイン

- 足跡[例：砂の上のサギの足跡]　・羽根
- 鳥の巣　・卵（殻）
- 食痕[例:胸腹部がカラスに食べられたクワガタの死体]

胸部・腹部はカラスに食べられた
クワガタの頭部分だけ

カワウの羽根

■動物（主に昆虫類）のフィールドサイン（虫のしわざ）

- 死体[例：セミの死体]　・巣［例：ハチの巣、クモの巣]
- ぬけがら[例：ｾﾐ、ﾁｮｳの抜け殻]　・まゆ　・虫こぶ（虫えい）
- 食痕[例：虫に食べられた葉]

どちらも昆虫に食べられた

ﾔﾅｷﾞﾀﾃﾞ（左）とﾐｿﾞｿﾊﾞ（右）

ヌルデアブラムシが虫こぶの中にいる

ヌルデの葉についた虫こぶ（虫えい）

■動物のフィールドサインを見つけ、その種類や生活の様子を考えよう（ｱﾆﾏﾙﾄﾗｯｷﾝｸﾞ）

<準備する物>［服装：長そで、長ズボン、手袋］　［持ち物：バインダー・筆記用具・ビニール袋・虫メガネ（あれば）］　<時　間>　３０分～１時間程度

<方　法>　①フィールドサインを探し、見つけたら右のワークシートに書き込む
②フィールドサインや環境要素から動物の種類や、活動の様子を推測する

<注意点>

- フィールドサインに触れるときは手袋で！（特に動物の死体やフンは直接に触らない）
- 穴や巣、岩陰、石の下、草むらなどには、手を突っ込まないように（マムシなどがいるかもしれません。まず棒などで確認してからにしましょう。）

観察ノート	12	生き物のフィールドサインを見つけよう	年　月　日

■フィールドサインを見つけ、どんな生き物が何をしていたのか想像してみよう。

スケッチ

種類の予想：

思ったこと・考えたこと（何をしていたのだろう）

スケッチ

種類の予想：

思ったこと・考えたこと（何をしていたのだろう）

フィールドサイン参考資料

哺乳類・鳥類のフィールドサイン

○足跡

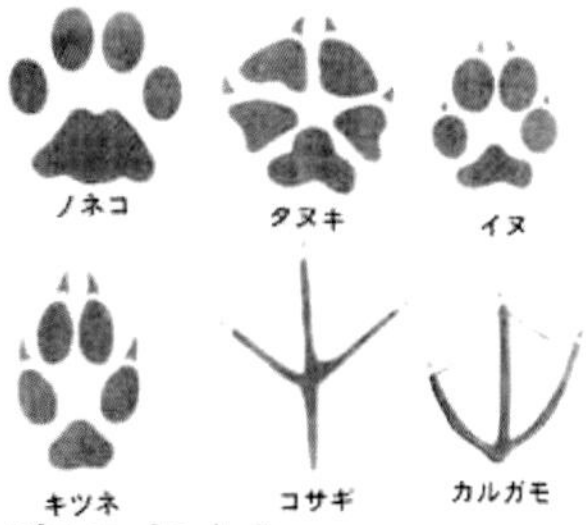

ノネコ　タヌキ　イヌ

キツネ　コサギ　カルガモ

○食痕（食事のあと）

・オニグルミの果実の食痕

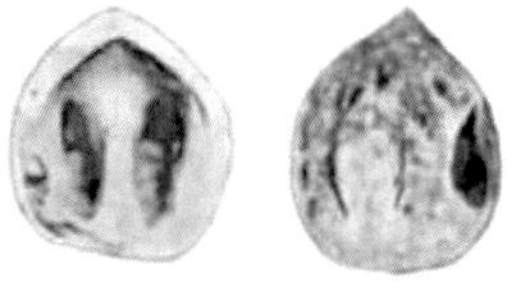

左（ニホンリスに食べられた）

右（アカネズミに食べられた）

・タカ・ワシやけものに襲われた鳥の羽根

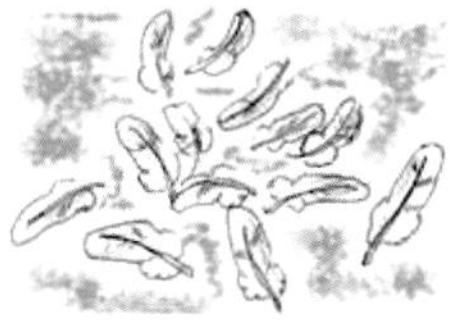

・ヌートリアがかじったイネ科の草

（切り口が鋭い）

○巣

カヤネズミ（入り口横） 　オオヨシキリ

昆虫類のフィールドサイン（虫のしわざ）

○食痕（食べられた葉）

オニグルミの葉（ガの幼虫による）

クズの葉（ヒメコガネによる）

フィールドサインに触れるときは手袋で！

●● コラム

川の上流ではアブに注意

夏場に長良川の上流や支流の谷へ水遊びやキャンプに出かけると、アブに悩まされることがあります。大自然の中で、どうして自分の存在に気づいて近寄ってくるのか、不思議でたまりませんね。

アブの雌は、産卵に必要なタンパク質を得るために、動物の血液を吸って生きています。そのため、動物の吐く二酸化炭素や、体温、特殊な匂いなどにすぐに反応して、ターゲットとなる動物を察知します。半袖や短パンで肌をさらした人間が現れてくれれば、アブにとっては棚からぼた餅です。

アブは、ハチのように毒針で刺すのではなく、のこぎりのような鋭い歯で皮膚を切り裂いて、そこから滲み出てくる血液を吸います。そのため、一瞬であっても皮膚の上に止まってから（着地してから）切り裂くので、とにかく皮膚に止まらせないようにすることが大切です。ハチの場合、手で振り払うと刺されることがありますが、アブの場合は、振り払っても大丈夫という訳です。とにかく、近寄ってきたら手で振り払うことです。皮膚をさらさないことが一番重要であることは言うまでもありません。

アブは、車の排気ガスや熱にも極めて反応し、すぐに寄って来ます。そのため、川の上流部や山中で車を停める場合には、すぐにエンジンを止めないと車の周りがアブだらけになってしまい、ドアを開けた瞬間に車内へ大量に入り込んでくるので、注意しなければいけません。

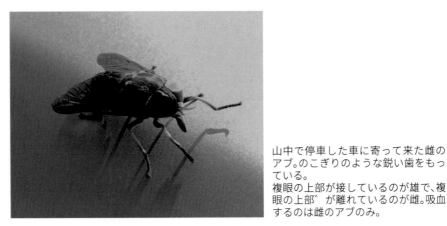

山中で停車した車に寄って来た雌のアブ。のこぎりのような鋭い歯をもっている。
複眼の上部が接しているのが雄で、複眼の上部〟が離れているのが雌。吸血するのは雌のアブのみ。

13	上流の代表樹木、ブナとミズナラ
観察場所	上流域の森林、公園内（分水嶺公園）

観察のポイント

●他のものと比較して観察する⇒葉の形を比較しながら観察する。

●他の事象と関連づけて考える⇒樹皮の地衣類の模様と雪の深さなどとを関連づけて観察する。

■樹皮の（地衣類）の模様で、雪の深さがわかる「ブナ」（ブナ科）

葉を見てみましょう。葉は互生※1）し、楕円形、薄くてやや固め、縁は波打っていて、葉脈のところで少しくぼんでいる感じになります。側脈は約10本。秋には黄葉し、その後、落葉します。

ブナの樹皮はなめらかな部類に入り、色は灰白色で独特の斑紋（はんもん）があります。これは「地衣類（ちいるい）」とよばれる藻類と菌類が共生した生物で、灰青色や緑色、暗灰色などさまざまな色をした地衣類の組み合わせはまるでモザイク模様で、興味深いです。

地衣類がついたブナ

図　ブナの葉（脈）

樹皮を観察してみましょう。地衣類がついていないところが樹木の下部にあります。これは、冬季にそこまで雪が積もった痕跡なのです。

また「樹幹流（じゅかんりゅう）」が有名で、大雨の時は、ブナの幹をつたって水が流れる落ちるような樹形をしています。ブナ林は緑のダムとも呼ばれますが、それは地上部の植物ではなく、ブナの作り出した厚く積もった有機物を多量に含む豊かな土壌が雨水をため込むためです。

標高が低く（1000m以下）なりますと、ブナにかわってイヌブナが出現するようになります。このイヌブナの葉の側脈は多く、10～14本あります。

■燃えにくいナラという名がついた「ミズナラ」（ブナ科）

材に水分が多く、燃えにくいナラということから「ミズナラ」と名がつきました。立地条件の良い場所をブナが占領してしまいますから、環境の厳しい場所では、ミズナラが優勢になる傾向があります。樹皮は灰褐色で、縦に不規則な裂け目があります。薄い片状のものが重なっていて、剥がれます。

葉は互生し、やや枝の先に集まります。葉の形は右の図のようなゆがんだ菱形です。葉の基（もと）のところはくさび形に狭くなり、葉の柄は無いか、ごく短いのがミズナラの特徴です。葉の縁には大型の鋸歯（きょし）※2）があります。

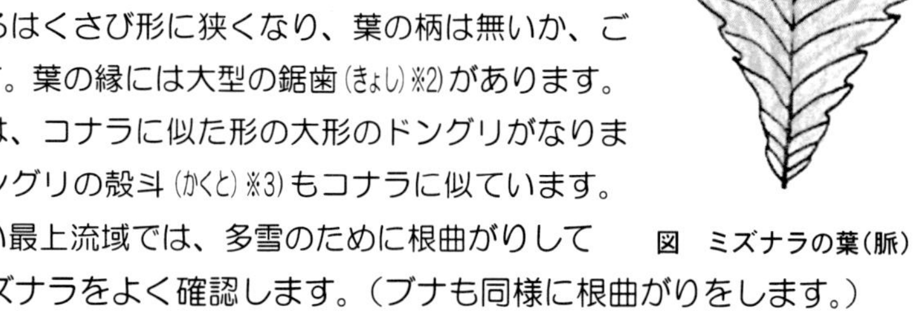

秋には、コナラに似た形の大形のドングリがなります。ドングリの殻斗（かくと）※3）もコナラに似ています。雪の多い最上流域では、多雪のために根曲がりしているミズナラをよく確認します。（ブナも同様に根曲がりをします。）

図　ミズナラの葉（脈）

図　ミズナラの殻斗

※1）互生（ごせい）：互い違いに生えること。※2）鋸歯（きょし）：ギザギザ

※3）殻斗（かくと）：ドングリのぼうしやお椀ともいう。

14	スキマ植物の代表、シンテッポウユリ
観察場所	中流域～下流域の一般道路沿（バスや乗用車の車窓から）

観察のポイント

●他のものと比較して観察する⇒生育している場所を比較しながら観察する。

●変化を追って観察する⇒環境の変化を追って観察する。

●他の事象と関連づけて考える⇒生育している場所を、風、種子散布、日差しなどと関連づけて考察する。

■わずかの隙間(すきま)にも生える植物「スキマ植物」

アスファルト道路の割れ目、石垣、ブロック塀と道路の境、煉瓦と煉瓦の間、そんなわずかの隙間に生える植物があります。最近は、乾燥に強いそれらのたくましい植物を「スキマ植物」とよんでいます。

道路の中央分離帯や道路脇の壁を見てみましょう。いろんな植物が生えているのがわかります。右の写真は、石垣に生えるシンテッポウユリです。どうやって、水を吸収しているのでしょうか、不思議に思いませんか。雨が降らなく、カンカン照りの時期でも、しっかりと生き抜いているたくましい植物なのです。

シンテッポウユリ

■荒れ地にまず侵入する帰化植物※

スキマの場所は、植物にとって本来とてもきびしい環境です。日差しは強烈で、紫外線も多く当たります。乾燥に強くないと生きていけません。そのため荒れ地などのとても厳しい環境にも耐えられる帰化植物がとても有利なのです。

堤防に群生するヒサウチソウ

道路脇や堤防などで多く見られる帰化植物では、シナダレスズメガヤ、セイバンモロコシ（イネ科）、アレチハナガサ、ヤナギハナガサ(クマツヅラ科)、ビロードモウズイカ(ゴマノハグサ科)、ワルナスビ(ナス科)、オッタチカタバミ(カタバミ科)、マメグンバイナズナ、ミチタネツケバナ、セイヨウアブラナ、セイヨウカラシナ(アブラナ科)、ユウゲショウ、ヒルザキツキミソウ、メマツヨイグサ(アカバナ科)、アレチヌスビトハギ、イタチハギ(マメ科)、オオアレチノギク、ヒメムカシヨモギ、ヒメジョオン、ハルジオン、チチコグサモドキ(キク科)などです。特にここ最近、急に群生が見られるようになったのは、ヒサウチソウです。この植物は帰化植物学者の名がついた半寄生植物です。

■車が走る時の風による種子の散布(さんぷ)で分布を広げる

高速道路脇にスキマ植物であるシンテッポウユリが生えています。高速道路は、トラックやバスが通過すると風がわき上がりますので、常に風が通る場所といえます。シンテッポウユリは、１つの果実に数百～1500個の種子が入っていて、種子が風でばらまかれる仕組みになっています。

風にのってきた種子がスキマに落ちると、根を伸ばし芽を出します。乾燥に弱い植物はすぐに枯れてしまいますが、シンテッポウユリのような乾燥に強い植物だけが生き残り、場所は独り占めすることができます。

※帰化植物:外国から日本に入ってきた植物。

シンテッポウユリの果実

15	大繁殖したセイタカアワダチソウは、今？
観察場所	上流域～下流域の一般道路沿いや空き地など（バスや乗用車の車窓から）

観察のポイント

●他のものと比較して観察する⇒他の植物より繁殖力の強い生態を知る。

●他の事象と関連づけて考える⇒ススキが盛り返してきた理由をアレロパシーと関連づけて考える。

■背が高く泡だつような花から名がついたセイタカアワダチソウ

セイタカアワダチソウは、アメリカ原産の帰化植物です。背が高いからセイタカ、泡がたつように白い綿毛を飛ばすことからアワダチ、そしてこのような名前がつきました。

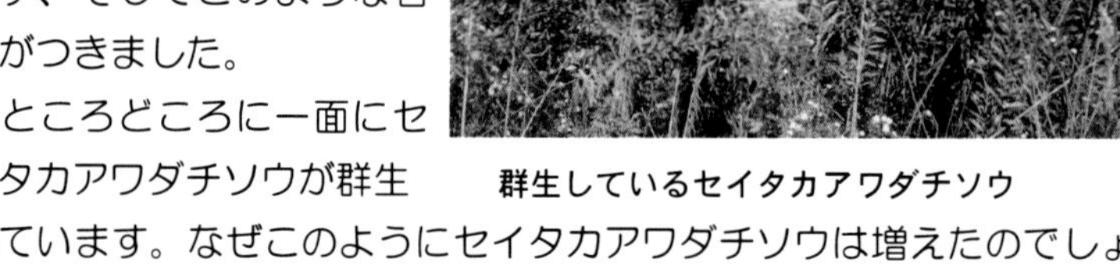

群生しているセイタカアワダチソウ

ところどころに一面にセイタカアワダチソウが群生しています。なぜこのようにセイタカアワダチソウは増えたのでしょうか。それは次のような２つの理由があります。

図　セイタカアワダチソウ（キク科）

まず１つ目は、旺盛な生長と根茎（こんけい）での繁殖です。生育パターンは、春から夏にかけて他の植物の進入を許さないほど非常に生長し、またたく間に草高2～3mになります。その後10月から12月頃まで黄色い花を次々と咲かせ、多数の種子を生産します。花が枯れてしばらくすると地上茎は枯れ、それに代わって地下の根茎から新たな栄養個体が出芽（しゅつが）し、ロゼットを形成して越冬するのです。

２つ目は、根と地下茎からアレロパシー※を分泌することです。セイタカアワダチソウの根と地下茎から、他の植物の発芽を強く抑制（よくせい）する物質を分泌し、他の植物の生育を妨げていることが知られています。つまりこの物質で、周囲の植物をいじめていたのです。

■他の植物をいじめていたから・・・、今は・・。

しかし、とんでもないことが起こりました。密生してセイタカアワダチソウが生えているものですから、根っこからのアレロパシーが増えすぎて、逆にセイタカアワダチソウが自分自身で枯れてしまう場所が少しずつでてきました。「自家中毒」を起こしたのです。だから10数年前の最盛期と比べるとぐんと減ってきたのです。

他の植物へのいじめをしていたので、つまり自分に跳ね返ってきたのです。自業自得と考えれば仕方がありません。

勢力をもりかえしてきたススキ

右の写真のように反対に最近もりかえしてきた植物があります。それは、秋の七草にも入っています在来種のススキ（イネ科）です。

自然界は、このように大繁栄しても、何らかのブレーキがかかりうまく成立していくのです。

※アレロパシー：他の植物の発芽を強く抑制する化学物質。

16	草むらや森林をおおっている「つる植物のクズ」
観察場所	上流域～下流域（空き地、森林など）

観察のポイント

●他のものと比較して観察する⇒つるの長さや昼寝の葉姿を他の植物と比べて観察する。

●他の事象と関連づけて考える⇒クズの生存戦略と勢力拡大を関連づけて考える。

■役立つのに…、残念な名の「クズ」

森林や草地をよく見るとつるが伸びて、全体をおおっている植物があります。これはクズです。「植物のクズ」とはとても残念な名前です。しかし、頼もしく、人間の生活に役に立っています。

根からとったデンプンがくず粉で、食用にします。くず粉もちは有名です。実は大和（奈良県）の国栖（くず）がくず粉の産地であったことから名がついたのです。

また、この根を乾燥したものから風邪薬の葛根湯がつくられているのです。

さらには、茎からとった繊維で織った布を葛布といいます。秋の七草としても有名です。だから名前はクズですが、とても役に立っている植物なのです。

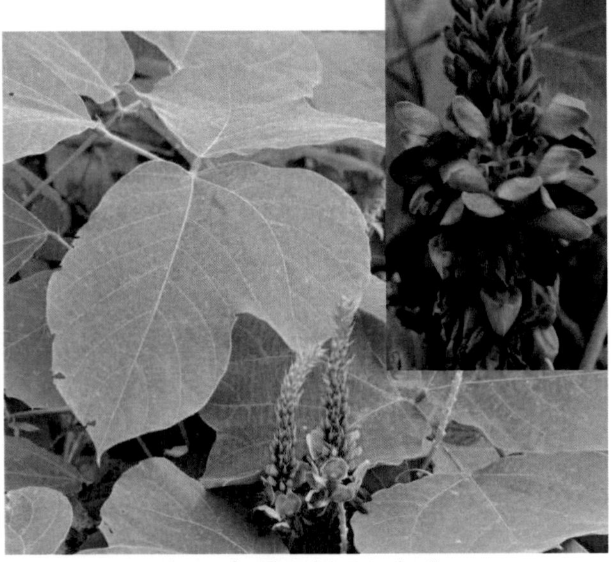

グレープの香りがするクズの花

■驚きの成長、さらには、夜だけでなく昼寝をする！

花は紅紫色の花で、においはグレープの香りがします。

つるはとてもよく伸びて、一日に何と１m程度も伸びるときもあります。クズは、茎を丈夫にして背を伸ばして光を求めて上に向かうのではなく、あくまでも他の植物に寄りかかり、おおいかぶさって横に広げていくことに全エネルギーを使っているのです。だからその伸びる力にはすさまじいものがあります。

特に葉の習性は興味深く、夜は、葉の裏を合わせて閉じて寝ます。昼は、太陽の光が強すぎるため、右図のように光が当たらないように葉の角度を変え、逆に葉の表を閉じ、まっすぐに立てる性質があります。これを「クズの昼寝」とよびます。

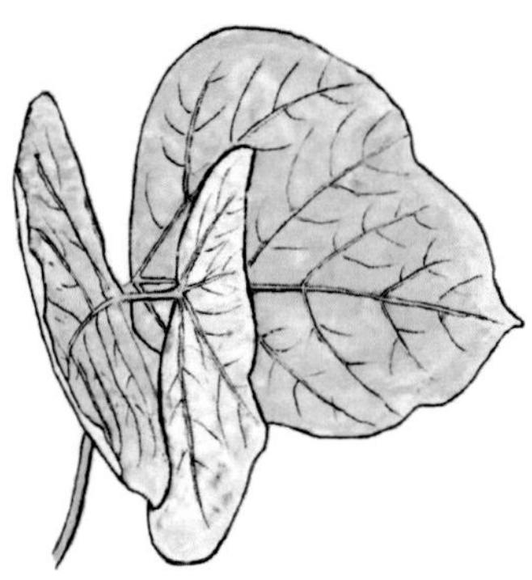

図　クズの昼寝の葉姿

これは、光合成の能力を超え逆に害になる光を避ける目的と、蒸散量を考え、余分なエネルギーを使わないクズの巧みな工夫なのです。

■勢力を広げすぎて、名前の通りの扱いに！

外国から日本に入ってきた帰化植物が時々話題にのぼりますが、このクズは、逆に日本から外国に侵出した帰化植物の代表種として有名です。

1950年当時のアメリカでは、開拓した荒れた土地でもすぐ根付きますし、家畜のえさにもなることから、神から与えられた最高の贈り物ともてはやされたのですが、勢力を広げすぎて、現在では名前の通りに屑（くず）扱いになっています。タイム紙には、20世紀に失敗したワースト100選で「クズのアメリカ上陸」が挙げられていたほどです。

クズの勢力拡大はいつまで続くのでしょう。ある意味、モンスタープラントです。

17	電柱を支えるワイヤーにキャップが？「クズがえし」
観察場所	中流域～下流域（の電信柱を支えるワイヤー部分 ）

観察のポイント

●他のものと比較して観察する⇒つる植物の特性を一般的な植物と比べて観察する。

●他の事象と関連づけて考える⇒クズの性質とクズがえしの改良とを関連づけて考える。

■森林をおおう「つる植物」のつるを伸ばすエネルギー

森林を見てみましょう。

森林の縁には、光を獲得するために、他の植物の茎を利用する「つる植物」が森林の表面をおおうように生えています。

植物は、本来、多くの光を浴びて光合成をしようと、少しでも高く丈夫な茎をつくります。

しかし、「つる植物」は、他の植物に寄りかかり、丈夫な茎をつくるためのエネルギーを「つる」を伸ばすことだけに使っています。だから一般的な植物より、早く高く伸びて、他の植物にかぶさって、どんどんと広がっていくのです。光エネルギーの獲得競争に打ち勝つ巧みな技をもっているのです。

図　森林の縁部分をおおう「つる植物」

その代表のつる植物がマメ科のクズです。ちなみにクズはひと夏で30m以上も伸びるそうで、中には、１つの個体で合計1000mを超える長さになっているものもあり、そのパワフルさには、驚きです。

■電柱を支えるワイヤーにキャップ？

だれもが、電柱の支柱につけてあるキャップ型の右の写真のようなプラスチック容器を見たことがあると思います。これは何と「つる植物」のクズが支柱をつたって高圧線までのぼらないように考案された「クズがえし」です。

以前は、図のAのような透明なクズがえしでしたが、高温で成長点を焼け切ることができなかったので、真っ黒のA型も考案しました。しかし、それも乗り越えてのぼっていくことがありました。

したがって改良を加え、現在は、写真のようなクズの屈光性（明るい方向に伸びる性質）を利用し先半分は透明で、後ろ半分はクズの成長点を焼き切ってしまうため黒色になっている「改良型のクズがえし」が多いです。また時々B型のようなクズがえしも見られます。

「改良型のクズがえし」

「クズがえし」が考案されるまでは、電力会社職員が電信柱の上までのぼってクズを排除していましたが、この「クズがえし」のおかげでずいぶんと作業が楽になったそうです。

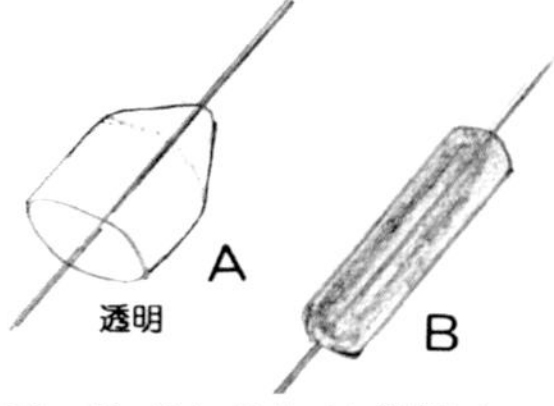

図「いろいろなクズがえし」

18	照葉樹林を見ることができる「鶴形山」
観察場所	中流域（美濃市、鶴形山）

観察のポイント

●他のものと比較して観察する⇒他の樹林と比べ照葉樹林内の樹種構成を知る。

●他の事象と関連づけて考える⇒照葉樹林という特有の環境とそこに生息する貴重な動物を関連づけて考える。

■県の天然記念物「鶴形山暖地性植物」

シイやカシ類の常緑広葉樹林は、かたくて丈夫で表面につやのある葉をしているため、照葉樹林とも呼ばれています。照葉樹林は、地球上で日本列島の西半分から中国大陸の中南部を経てヒマラヤの中腹にかけての長細い地域だけに見ることができます。

岐阜県内では、まとまって照葉樹林を見られるのは何と「金華山」とこの「鶴形山」だけなのです。

したがって、「鶴形山暖地性植物」として 昭和44年に県の天然記念物に指定されているのです。

鶴形山より長良川を見下ろす（山頂付近の奥御前神社跡より）

鶴形山は洲原神社の西方にある標高348mの山です。

ふもとから中腹までは、ツブラジイ、タブノキ、ウラジロカシ、イチイガシ、ツクバネガシといったいずれも幹周り１～２mの巨木が目立ちます。

その他、高木、亜高木では、アベマキ、ヤブニッケイ、クスノキ、クロモジ、サカキ、ヤブツバキ、アオハダ、ホオノキ、アラカシ、ソヨゴ、リョウブ、ヤマザクラ、ネムノキ、コシアブラ、コウヤマキなど、低木ではナンテン、ムラサキシキブ、シキミ、アセビ、ヒサカキなどが自生しています。下草は少なく、主にウラジロやコシダが優先しています。

洲原橋より長良川と鶴形山（ツブラジイは花期）

■鶴形山付近に生息する貴重な動物

ふもとの「洲原神社社叢（そう）」はブッポウソウ繁殖地として昭和44年に県の天然記念物に指定されています。この鳥は、「姿のブッポウソウ」といわれる美しい鳥です。

すぐ横に国道156号が走り、交通量が増えたことから、最近は、ほとんど見られなくなってきたとのことです。

興味深い動物がもう１種類この鶴形山に生息しています。それは、ヒメハルゼミです。

体長3cm程の小型のセミで羽は透明です。

主に照葉樹林に生息し、１匹が一声鳴くと他のセミが一斉に合唱し、決して個々には鳴かないことが知られています。

オスの鳴き声はアブラゼミに強弱をつけたようで、「ヴィーン、ヴィーン、ヴィーン・・・」などと表現されます。

ヒメハルゼミ　ブッポウソウ

（共に岐阜県博物館標本）

タブノキ（クスノキ科）の巨木

19	ロードキルを減らすための動物標識
観察場所	上流域～下流域の一般道路沿いなど （バスや乗用車の車窓から）

観察のポイント

●他のものと比較して観察する⇒動物の種類によるロードキルの状況を比べる。

●他の事象と関連づけて考える⇒動物のロードキルを減らすための工夫を考察する。

■動物の標識は何のため？

動物の標識を見つけましょう。何のための標識でしょうか？

よく高速道路で動物が交通事故にあうそうです。そこでこのような標識をつくり、ドライバーに「○○の動物に気をつけて走行してください」と警戒をよびかけているのです。

もちろん、これは、野生動物の命を守ることが最大の目的です。さらには、特にシカ、クマといった大型動物の衝突事故の場合は、その衝撃が大きくて車がつぶれてしまったり、ドライバーが負傷したりすることもあるので、そのことも含まれています。

シカに注意の標識

NEXCO３社によれば、平成30年に約47,400件のロードキル(車に轢(ひ)かれて動物が犠牲になること)が発生しています。

高速道路の管理者側も動物の侵入を防ぐ柵を設置し、道路構造物を利用したオーバーパス※1)やアニマルパスウェイ※2)といった“けもの道”(獣用の通路)を確保するなど、さまざまな動物侵入防止対策を行っていますが、それでも年間にこれだけ多くの動物が車に轢かれているのです。

サルに注意の標識

■ロードキルで一番多い野生動物は？

野生動物の中で、一番車に轢かれて死ぬ動物は何でしょうか。

日本道路公団の過去の資料によれば、高速道路で犠牲となるもっとも多い野生動物はタヌキ(全体の39%)で、次に鳥類（カラス・トビ）が続きます。タヌキは、びっくりすると丸まって動けなくなる習性があるため、事故の犠牲となることが多いようです。

それでは、シカ、サル、イノシシなど…「動物注意」の標識は何種類あるのでしょうか。18種類以上もあります。それらを順番にあげますと、タヌキ、サル、イノシシ、シカ、キツネ、ウシ、クマ、ウマ、ウサギ、トリ、カモシカ、リス、ヤマネコ、カメ、ヤドカリ、カニ、ヤギ、イモリです。

タヌキの標識

身の回りの動物で一番交通事故が多いのは、イヌではなく、ネコです。

NPO法人 人と動物の共生センターが発表した「全国ロードキル調査報告」によると、2017年の1年間に道路で命を落としたネコの推計数は34万7918匹に上ったそうです。ネコの殺処分数は年間3万4854匹なので、およそ10倍の数の猫がロードキルの被害に遭っている状況です。

これは、イヌは、車が走ってきて近づくとさっと逃げるのに対して、ネコは、クルマと直面した時に恐怖で身動きが取れなくなってしまう習性があるからだそうです。

イノシシの標識

※1) オーバーパス:道路の上部に架かり横断することができる動物用歩道橋。

※2) アニマルパスウェイ:森の間に通る道路を横断して渡される吊り橋状のもので、ワイヤーやメッシュなどで構成。

20	世界農業遺産になった「清流長良川の鮎」
観察場所	上流域～下流域

観察のポイント

●他の事象と関連づけて考える⇒アユの習性、友釣りの仕組み、清流という環境等と関連づけて考える。

■1匹が2匹に増える「アユの友づり」とは？

アユとは漢字で「鮎」と書くのが一般的ですが、「年魚」や「香魚」とも書くことがあります。「年魚」は、一年で一生涯を終えることに由来します。また、「香魚」は、アユは独特なキュウリに似たような香りをもつことに由来しています。

右図を見て下さい。アユの形態の特徴は２つあります。１つは脂鰭(あぶらびれ)があることです。もう１つは、右図のようなクシのような歯が特徴です。石についた藻をはむためです。

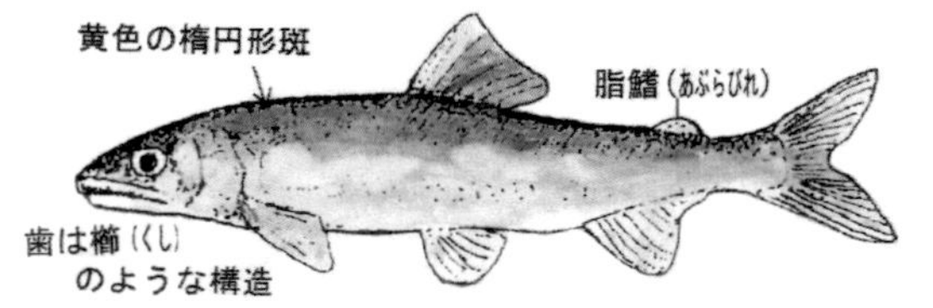

図　アユの形態（脂ビレとクシのような歯）

晩秋に河川で孵化(ふか)した大量の仔魚(しぎょ)は海に下り、7cm程度になった若魚が春先に再び河川に遡上(そじょう)してきます。そして成魚になると、直径1mほどの「なわばり」をもちます。

この「なわばり」の中に他のアユが侵入してくるとオス、メス関係なく激しく追い払うようになります。「なわばりアユ」が、「おとりアユ」を追い払う時に、「おとりアユ」に着けられた針にひっかかるわけです。つまり、「なわばり」の習性を利用してアユをつる方法が、「友づり」なのです。

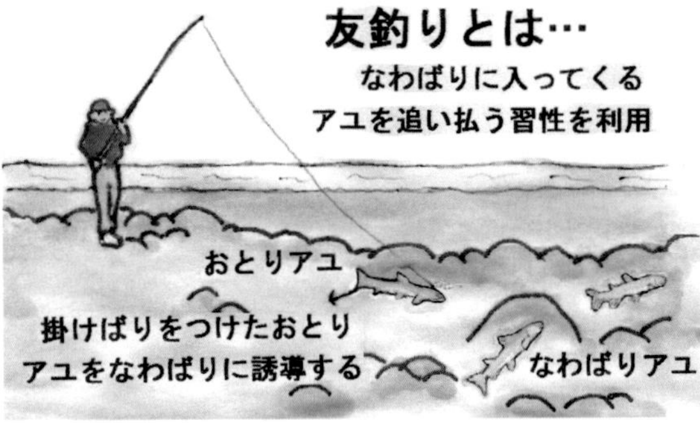

図　友づりの仕組み図

■世界農業遺産になった「清流長良川の鮎」

平成27（2015)年12月に「清流長良川の鮎」が世界農業遺産に認定されました。

さて、その世界農業遺産とは、国連食糧農業機関(FAO)が、伝統的な農業・農法や、農業によって育まれた文化風習・生物多様性・農村景観などの保全を目的に、世界的に重要な地域を認定する制度です。

橋の上などから川をのぞきますと、群れてゆうゆうと泳ぐアユたちや石についた藻をはむアユが見られます。

アユは、川の自然度を示す指標生物です。アユが生息している環境は「指標Aの非常に良い環境」であることを示し、まさに「清流、長良川」を表しているのです。

アユの群れ（アクア・トトぎふにて）

21	鵜飼いの鵜は、カワウでなくウミウ
観察場所	上流域～下流域（カワウ）　（ウミウ：岩場のある海岸）

観察のポイント

●他のものと比較して観察する⇒カワウとウミウの形態や生態を比較してそれぞれの特徴を知る。

●他の事象と関連づけて考える⇒鵜飼いの鵜がウミウである理由を習性等と関連づけて考える。

■ウミウとカワウの違いはどこ？

長良川でウが羽根を広げ、乾かしています。

普通の水鳥は、羽に油を塗って水をはじくようにしていますが、ウの羽根は水をはじきません。それは、水に入っても、浮力が少なくなって潜りやすいからです。そのかわり水中で行動していると羽根がびっしょりぬれてしまいますから、水から上がった時に乾かす必要が出てくるわけです。

では、ウミウかカワウかは、どこで見分けるのでしょうか？右図のようにほほの黄色の部分と、背中の部分の色で見分けます。カワウの背中は褐色光沢ですが、ウミウは暗緑色光沢なのです。いずれにしても区別がとても難しいです。

生態的な違いは、ウミウは樹上営巣をしませんが、カワウは安全であれば樹上営巣をします。

海津町油島の堤防に、薩摩藩士が宝暦治水工事の完成後にアカマツ（日向マツ）を植えたとされる千本松原があります。

そこでは、現在、カワウが増え続け、多数のカワウが多くのコロニー※をつくっています。したがってカワウのフンにより、アカマツが大きな被害を受け、枯れかかっているアカマツもあります。

羽根を乾かすカワウ

図　頭部の違い

■鵜飼いの鵜はカワウでなく、ウミウ

長良川の鵜飼は全国的にも有名ですが、カワウでなく、わざわざ海に生息しているウミウを使っています。

鵜飼いには、かつてウミウとカワウの両方が使われていたそうです。しかし、ウミウのほうが深く潜ることができ、体も大きくて体力的に強いそうです。

さらには、人になつきやすいので学習能力が高く、環境への順応性などの多くの点で優れていることからウミウになったそうです。

ちなみに長良川鵜飼の鵜は、茨城県日立市の断崖絶壁の鵜捕り場で捕まえてくるそうです。

右図の手縄は鵜匠と鵜を結び付けるもので、手縄本体とツモソ・腹がけ・首結(くびゆ)いの各部分で構成されています。その中でも、首結いのしめ具合は、そのかげんによって漁の多少がきまるほど重要なものです。

※鳥が近くに集まった集団、集団営巣地。

図　「鵜飼い」の各部名称

22	日当たりの良い堤防などでよく見られるススキとオギ
観察場所	上流域～下流域　（堤防などの空き地など）

観察のポイント

●他のものと比較して観察する⇒ススキとオギを小穂や株の出方等で比較して観察する。

■株立ちになり、長いノギがある秋の七草のススキ

「ススキは株をつくるが、オギは株をつくらない」たいていはこれで区別がつきます。

オギの茎とススキの茎は全く違い、オギの茎はまるで竹のようであり、ススキの茎は、何重にもさや(葉鞘：ようしょう)に包まれています。ススキには長いノギがあり、オギにノギはないことが一番の区別点です。

株立ちになるススキ（イネ科）

ススキ

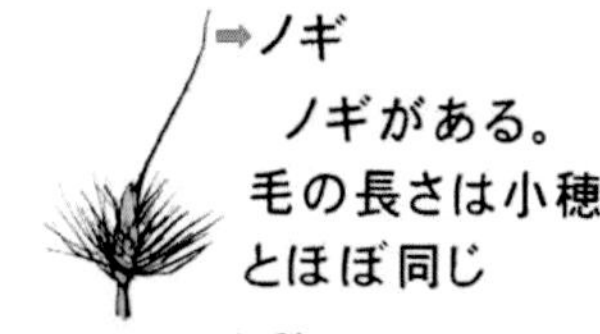

ススキの小穂

大きい株をつくる

図　ススキの小穂と株形

ススキの「スス」は、葉がまっすぐにすくすく立つことを表し、「キ」は芽が萌え出でる意味の「萌（キ）」だと言われています。川の上流から下流の堤防などの乾燥地や空き地で見られます。

ススキの葉に触ると肌を切ってしまうことがあります。これは、葉の縁にガラス質のトゲがノコギリの葉のように並んでいるためです。肌を傷つけないように要注意の植物です。

■地下茎で長く伸び、ノギがなく、穂が純白なオギ

草丈(くさたけ)は2mを越えます。種子でも繁殖しますが、群落の広がり方はおもに地下茎でどんどん増えていきます。

そのため、土は粘土質から砂質であることが必要なので、石や礫(れき)を多く含む河原ではあまり生育しません。また、洪水などの増水には耐えることができますが、地下部が長期にわたって水没するような場所には生育できないのです。

ノギがないオギ（イネ科）

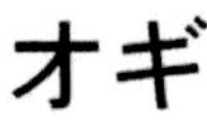

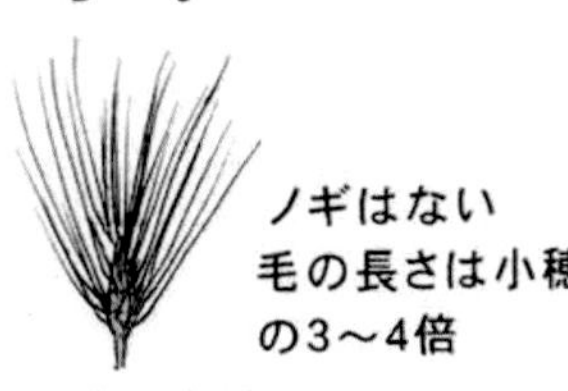

ノギはない
毛の長さは小穂
の3～4倍

オギの小穂

図　オギの小穂と地下茎

したがって、川の上流域には生えていなく、中・下流域の川から少し離れた場所が多いです。

ススキとオギを離れていても見分ける方法があります。オギはススキとは、穂についている毛の色が違っています。オギは白色で、ススキは少し汚れた白。つまり、穂が純白はオギ、くすんでいたらススキです。

23	河原や湖沼の水際で見られるツルヨシとヨシ
観察場所	上流域～中流域（ツルヨシ）、中流域～下流域（ヨシ）　（河川敷など）

観察のポイント

●他のものと比較して観察する⇒ツルヨシとヨシを小穂や茎の生え方で比較して観察する。

■根茎（こんけい）が地上をはう（地上茎）ツルヨシ

ツルヨシの特徴は、長い根茎です。根茎の出始めは通常の茎と変わらないですが、長くなってやがて横になり、地面の地上部に伸びていきます。

途中の節からは芽が出て新しい個体が形成されます。この新しい芽は、最初は下向きに伸び、地面に接すると反転して上方に向かって生長し、地面に接した部分からは根が出て定着するのです。

ツルヨシ（イネ科）

ツルヨシ

ツルヨシの小穂

長さ0.8～1.2cm

高さ1.5～3m

地上にはう茎

白毛を密生

図　ツルヨシの小穂と地上茎

茎が洪水で押し倒されると、同様に節から新しい茎が形成され、結果的にツルヨシ群落は面積を広げることになり、洪水によく適応しています。だから上流から下流までの川の水際に、幅広く分布しているのです。

ヨシよりも上流域に多く分布します。右の写真が地上ではう茎、地下茎でなく、地上茎なのです。

ツルヨシの地上茎⇒

■汽水域でも生育し地下茎が長く伸びるヨシ

ヨシは日本全国に広く分布する高さ３mに達することもある多年草です。

河川の中・下流域などに生育し、ツルヨシよりも下流域に分布します。

太い地下茎と種子で繁殖し、生育環境は多様で、塩分を含む水域（汽水域）でも生育でき、放棄水田にも進出しつつあります。

ヨシ（イネ科）

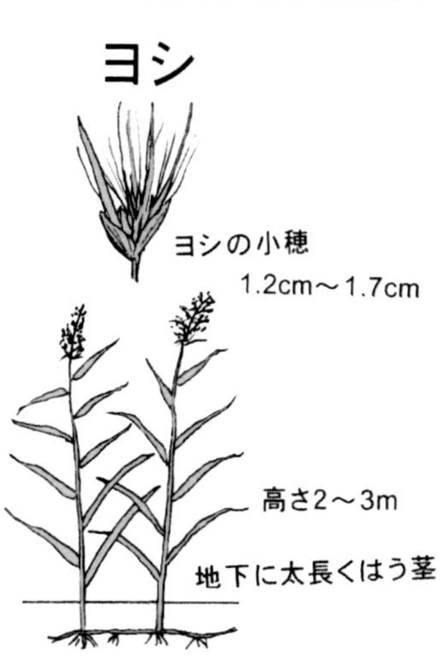

地下茎は太くて柔らかく、地上部から空気を通導させています。このような地下茎の発達には、礫を多く含む土では生育が困難で、粘土などの微粒な土がヨシ群落の発達の条件となります。

図　ヨシの小穂と地下茎

葉は水没に弱いとされており、水域に生育することが多い種でありながら、葉が水没しないような環境であることが必要で、洪水による水没には比較的弱いのです。

「アシ」は、水の浅いところに生えることから「浅（あさ）」の変化ともいわれます。その後、アシは、「悪し」に通じるため、縁起が悪いことから現在の「良し（ヨシ）」に変えられました。

古くから軽くて丈夫な棒としてさまざまに用いられ、特にヨシの茎で作ったすだれは「よしず」と呼ばれ昔から現在にいたるまで、利用されてきています。

24	河口付近のヨシ原で見られる水辺の鳥たち
観察場所	中・下流域（ヨシ原など）

観察のポイント

●他の事象と関連づけて考える⇒ヨシの生える環境と水鳥の生息の様子を関連づけて考察する。

■ヨシ原で見られる水辺の鳥たち

特に下流域は右の写真のようなヨシ原が点在しています。ここでは、水辺の鳥がよく見られます。

水辺の鳥は、樹林などで生息する鳥に比べると、容易に見ることができます。それは、干潟（ひがた）などでえさを求めていたり、水に浮かび休んでいたりするなど、比較的動きが少ないことからです。

しかし音に敏感で、近づくとすぐに逃げられます。

【例<ヨシ原周囲でよく見られる水辺の鳥>】

カイツブリ、カワウ、カルガモ、オオバン、イソシギ、キンクロハジロ、コアジサシ、オオヨシキリ、マガモ、オナガガモなど

水鳥たちの大切な生息地、ヨシ原

<親鳥でも小型の水鳥、「カイツブリ」>

カイツブリはそこに浮いていたかと思うとアッという間に潜ってしまい、離れたあちらの方でポッカリ浮かびあがる潜水の名手です。「カイ」は水を「かき」、「ツブリ」は水に潜るのが得意なことから「潜（むぐ）り」とする説、「カイ」を 「たちまち」、「ツブリ」を水に潜る音が転じた音とする説など、諸説あります。

図　潜水の名手、カイツブリ

■減ってきた水辺の鳥と増えてきた水鳥

<なわばりをもち、大きな声で鳴く「オオヨシキリ」>

オオヨシキリは、「ギョギョシ ギョギョシ ギョギョシ」などと、うるさいと思うくらい大きな声で鳴きます。

夏に水辺のヨシ原に飛来して、数本のヨシを束ねてお椀型の巣をつくり繁殖します。鳥類では珍しい一夫多妻制をとり、複数のメスとペアになるオスもいます。「なわばり」を形成し、先ほどのように大声でさえずるのです。

そのオオヨシキリは数がずいぶん減ってきました。これは、ヨシ原が減ってきたことによるものでしょうか。

図　大声でさえずるオオヨシキリ

<真っ黒い鳥で白い額がトレードマークの「オオバン」>

オオバンは、頭をフリフリ泳ぎ、真っ黒い鳥で白い額がトレードマークです。最近、増えたのは、このオオバンです。

1960年代までは秋田県以北で繁殖し、越冬期には西日本へ渡ってくる鳥でした。

ところが越冬・繁殖分布がどんどん広がり始め、今では、ほとんどの県で繁殖・越冬するようになりました。これは、繁殖地で繁殖成功率が高まったり、越冬地間でのオオバンの移動が増加したりしたことによると考えられています。

額以外は真っ黒のオオバン

25	岐阜が分布のほぼ東端、最大の両生類であるオオサンショウウオ
観察場所	上流域～中流域　　生息地（長良川水系では中上流部〈大間見川、小間見川などの各流域〉）

観察のポイント

●他のものと比較して観察する⇒他の動物と比べて特徴的な形態やその生態を知る。

■ハンザキともよばれ、サンショウの香りから名がついた

「広報芥見No52-2より」

令和2年8月、長良川支流の山田川に流れ込む用水路で体長75㎝、体重4kgのオオサンショウウオが見つかりました。左の写真はその時の広報紙に載ったオオサンショウウオです。

住民からの通報で、さっそく岐阜市の職員がかけつけ、長良川に放流しました。きっと、大雨で流され、本流と間違えて支流を上ったと思われます。

オオサンショウウオを漢字で書くと「大山椒魚」です。これはオオサンショウウオがストレスを感じたり、身を守ろうとしたりする時に体から出すネバネバの粘液が、サンショウの香りを発するからだそうです。ちなみにオオサンショウウオは別名「ハンザキ」とも呼ばれます。これは「大きな口が顔の半分ほどまで裂けているように見えるから」といわれています。

岩場から頭を出す（アクア・トトぎふにて）

オオサンショウウオの特徴はその大きさです。最大150cm、体重は30kg近くになることが確認されています。これは間違いなく両生類としては最大です。

特に眼は、非常に小さいため、よく見ないとわかりません。指は前足に4本、後ろ足に5本あり、指先は吸盤みたいにプニプニしていて、触ると気持ちよさそうです。この足で流れの早い上流の中でも踏ん張りながら歩くことができるのです。

■超省エネ生活をしている最大の両生類

オオサンショウウオの生息数は少なく、絶滅の心配もされていて、環境省が設定しているレッドデータブックでは「絶滅危惧Ⅱ類」に指定されています。昭和26年には国の天然記念物に、その翌年には「特別天然記念物」に指定されたのです。そして、右の分布図のように岐阜県がほぼ東の端なのです。

数を減らしている理由は、生息地のダム開発、岩を無くして人工的なコンクリート製の川に整備されていることなどです。もちろん川自体の汚染も問題視されています。

図　オオサンショウウオ生息地（環境庁編S57，岐阜県レッドデータブック2001）

オオサンショウウオは川の中でほとんど動かずに生活しています。肺呼吸なため、たまに息継ぎをする程度です。そして、目の前を通った小魚を大きな口でパクッと、丸飲みにしてしまいます。

多くても2日に1回、少ないものは1週間に1回しかえさを食べません。このように普段は動かずにじっとしていて、最低限の動きのみで獲物を捕まえるのです。その超省エネ生活こそがオオサンショウウオをここまで大きくしたと考えられています。

オオサンショウウオの仲間で、約13cmほどの小型のハコネサンショウウオやクロサンショウウオは、オオサンショウウオの生息地より上流域の渓流などに生息しています。

26	金華山と長良川付近に生える貴重な植物たち
観察場所	中流域　（金華山とその北側、納涼台付近）

観察のポイント

●他の事象と関連づけて考える⇒照葉樹林という特有の環境とそこに自生する貴重な植物を関連づけて考える。

■金華山のツブラジイとヒトツバ

ツブラジイの花盛りの金華山（５月）

金華山の植物は700種以上あるといわれてます。金華山は、一年中、葉をつけている常緑広葉樹が多いです。これは照葉樹ともよばれています。その中で一番多い樹種が、ツブラジイです。

ツブラジイは、５月頃甘い香りがあるうすい黄色の花をつけます。また花をつけるころに山を眺めるとツブラジイの花で山が黄金色に輝いて見えます。そこから「金の華がさく山」として金華山と名がついたといわれています。

金華山で有名な植物がシダ植物のヒトツバです。

金華山の岩場に生えるヒトツバ

登山道の中腹ほどに登っていきますと、岩場のいたるところに１枚の葉がにょきにょきと生えています。この様子からその名のヒトツバがつきました。

葉は厚く丈夫で、長い地下茎から所々に形成され、葉柄を含めて長さ40cm程度までになります。

ほとんどが通常の葉ですが、やや細長い葉を見つけたら葉を裏返してみましょう。もし裏面が赤褐色なら、その葉は胞子葉です。これは、胞子を飛ばすための胞子嚢(のう)[ソーラス]をぎっしりとつけているからです。

■納涼台付近に自生する鹿の子模様の樹木、カゴノキ

樹皮が鹿の子模様のカゴノキ

金華山の北側の長良川との境の所に多く自生しています。「籠」を連想させる名前ですが「籠」ではなく「鹿子」です。幹が鹿の子どものように見えることから命名されました。

模様は樹皮がまだらに剥がれ落ちたものです。この特有の模様は、幼木には見られませんが、幹の直径が20cmを超えるあたりから見られるようになります。

葉はカナメモチに似ていて、年間を通じて光沢があります。葉は互生し、葉を擦り合わせるとクスノキ科特有の香りがあります。

７～８月になるとクスノキやゲッケイジュに似たクリーム色の花を咲かせます。雌雄異株ですので、雌株は雌花、雄株は雄花を、それぞれ咲かせます。暖かい所の植物ですから、岐阜県では、ここから北には自生が少なく、分布上で貴重な植物です。

27	減ってきたカワラと名がつく在来の植物たち
観察場所	上流域～下流域（河原や土手など）

観察のポイント

●変化を追って観察する⇒長期的な時間経過による環境の変化と在来植物の減少の現状を知る。

●他の事象と関連づけて考える⇒環境の悪化と在来植物の減少を関連づけて考える。

■カワラと名がつく在来種の植物たち

河原や土手で見られる植物の中で、カワラと名がつく植物としては、カワラナデシコ、カワラケツメイ、カワラサイコ、カワラヨモギ、カワラマツバ、キバナカワラマツバ、カワラハハコなどが見られます。

これらの植物は、すべて在来種（もともと日本に生えている植物）です。共通している傾向としては、１つは、葉は水流の影響を受けないように、水になびくような細長い流線型が多いことです。２つ目には、増水時に、強い流れで痛みつけられても、そこから新しく茎葉を伸ばす能力が高かったり、地下茎などで根をしっかり張っていたりしています。

ここでは、カワラと名がつく植物の代表としてカワラハハコとカワラケツメイを紹介します。

○カワラハハコ（キク科）

砂礫の河原に丸くひと塊になって生育し、白い頭花をたくさんつけます。茎や葉の裏、花は灰白色や白色の綿毛に包まれ、白っぽく見えます。

茎は地上から枝分かれして株立ちとなり、高さ30～50㎝になります。また、地中の深いところを地下茎がはい、株を増やします。葉は線形で、幅1.5㎜内外と細く、葉の裏側に巻きます。

綿毛に包まれて白っぽく見えるカワラハハコ

○カワラケツメイ（マメ科）

主に日当たりの良い土手などに見られます。

マメ科ですので、葉は羽状複葉で、だいたい25対前後の小さな小葉が美しく並びます。花は黄色で8月頃から10月まで次々と咲きますが、葉に隠れて見えにくいです。最近は、カワラケツメイにそっくりな帰化植物のアレチケツメイが出現してきました。このアレチケツメイは下側の花弁が大きく他の花弁の2倍ほどの長さであることで区別できます。

カワラケツメイ

■河原の環境変化により数が減少した植物

最近は、ゲリラ豪雨等の異常気象が続くようになり、川の水位や流れが穏やかな変化でなく、著しい変化が多くなりました。増水時には、冠水となり、攪乱を受けます。減水時には長い日照りにさらされ、地表温度の日較差が大きく環境はより過酷になりました。

河原の環境悪化により数が減ったカワラと名がつく植物の代表としてカワラサイコを紹介します。

○カワラサイコ（バラ科）

明るい砂礫の多い河原に自生します。太い根がミシマサイコの根に似て、河原に生えることからこの名がつきました。花は6月から8月に黄色の花を咲かせます。カワラサイコは、乾燥に強いのですが、個体数が少なくなってしまいました。

現在、岐阜県レッドデータブックでは、準絶滅危惧種に指定されています。

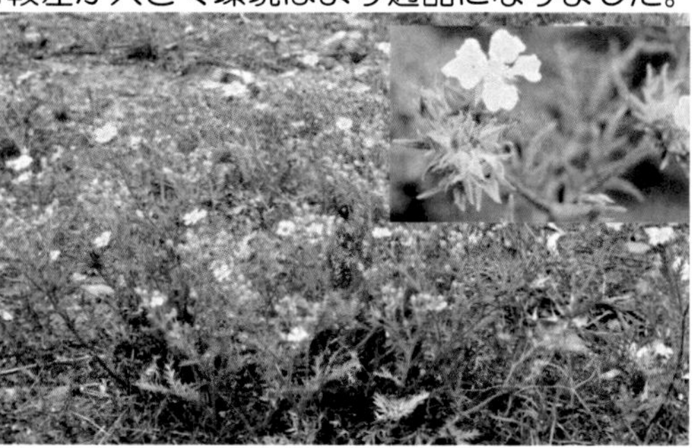

砂礫の河原に生えるカワラサイコ

28	ホンシュウジカとニホンカモシカを比べよう
観察場所	上・中流域～下流域（ホンシュウジカ）、上流域～中流域（ニホンカモシカ）

観察のポイント

●他のものと比較して観察する⇒両者の生態と形態を比較してそれぞれの特徴を知る。

●他の事象と関連づけて考える⇒ホンシュウジカが増えた理由を多くの要因と関連づけて考察する。

■ホンシュウジカとニホンカモシカの違いは？

ホンシュウジカはシカ科の動物、カモシカはシカの名前がつきますがウシ科でヤギ、ヒツジの仲間です。

ホンシュウジカは群れをつくって活動しますが、ニホンカモシカは単独で行動します。

	ホンシュウジカ（シカ科）	ニホンカモシカ（ウシ科）
習性	群れで行動。 なわばりをもたない。	1匹(単独)で行動することが多い なわばりをもつ。
生息環境	開けた草原を好み、環境が変わりやすい環境（上・中流～下流）。	深い森林にすみ、変化の少ない安定した環境（上流～中流 ）。
角(つの)	オスだけで、枝分かれしている。 角は春に生え変わる。白っぽい。	オス、メスともに8～15cm程度のとがった黒っぽい角を持つ。
体色	体色は茶色一色で、尻だけ白色。	体色は黒褐色～灰褐色。
その他	・オスとメスの体の大きさの差が大きく、オスがメスの1.5倍ほど大きい。 ・雌雄ともに狩猟対象。	・目の下に分泌腺をもち木の枝や葉の分泌液をこすり付けてコミュニケーションをとっている。 ・国の特別天然記念物。

両者の共通点は、草や樹木の表皮部分を食べることです。食物繊維（セルロース）は自力では分解できません。

だから、4つもある大きな胃の中で微生物を繁殖させて時間をかけて、反すう(一度食べた物をもう一度消化)して食べるのです。

ホンシュウジカ⇒
梶浦敬一氏(於：岐阜市)撮影

■ホンシュウジカだけが、なぜ数が増え続けるのか。

ニホンカモシカは、国の天然記念物になっていること、なわばりをもつことから、その数は、ほぼ一定で維持されています。しかし、一方でホンシュウジカの分布は拡大し、生息数が急激に増加し続けています。そのため、現在、中流の山や丘陵地の草・樹木が、ホンシュウジカにすべて食べつくされているのです。どうしてホンシュウジカの数が増え続けているのでしょうか。

生態的な理由としては①雪を避け集団で季節移動するため。②なわばりをもたないので、同じ面積で多数生息できるため。③2才から毎年子どもを産むため。(1年で1.2倍、4年で約2倍になる)④1000種類を超える植物を食べることができるため、などがその要因と考えられています。

また、外的な要因としては、①狩猟者の減少。②地球温暖化で積雪量が減り、雪に弱いホンシュウジカが生息できる分布域が増大したこと。③過疎化によって耕作放棄地が増加し、そこが生息場所になったこと。④ニホンオオカミのような捕食者が絶滅したこと、などです。

現在、岐阜県では、「シカを捕獲しませんか ―シカ捕獲実践マニュアル―」をホームページ等で紹介しよびかけたり、ジビエを推奨し、支援したりして、ホンシュウジカの数を減らそうと取り組んでいます。

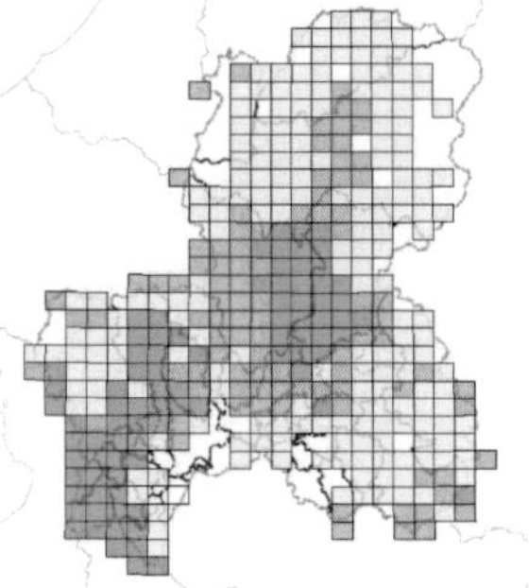

図　ホンシュウジカ生息分布
（岐阜県公式ＨＰより）

■ S53 年の生息域　■ H15 年の生息域　□ H26 年の生息域

29	日本一小さいネズミ、カヤネズミ
観察場所	上流域～下流域　（河川敷、水田、沼沢の背の高いイネ科植物が生える場所）

観察のポイント

●他のものと比較して観察する⇒他のものと比較して、カヤネズミの重さや大きさを知る。

●他の事象と関連づけて考える⇒害獣から益獣になったことを人との関わり（稲作等）で考える。

■カヤ原に棲(す)むネズミ、カヤネズミ

カヤと呼ばれるのは、細長い葉と茎を地上から立てるイネ科植物で、代表種にススキ、ヨシ、オギ、チガヤなどがあります。

カヤネズミは、里山や河川敷の「カヤ原（オギ・ススキなどの草むら）」に生息しているネズミで、そこからカヤネズミと名前がつきました。

どちらかというと、ヨシなどの高い草のある河川や湖沼近くの湿気の多いところに生息しています。

図　小さなカヤネズミ

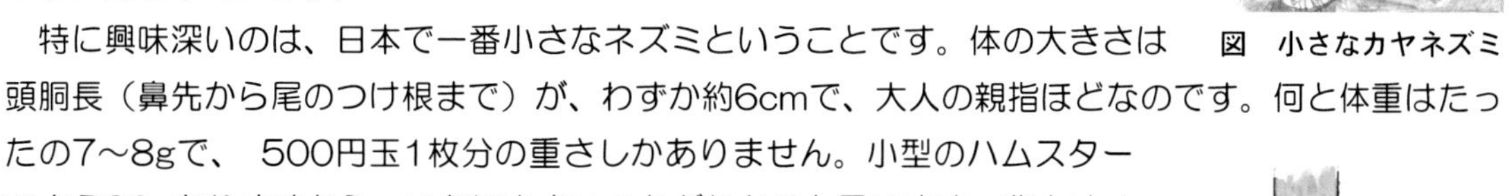

特に興味深いのは、日本で一番小さなネズミということです。体の大きさは頭胴長（鼻先から尾のつけ根まで）が、わずか約6cmで、大人の親指ほどなのです。何と体重はたったの7～8gで、 500円玉1枚分の重さしかありません。小型のハムスターでさえ30gありますから、いかに小さいのかがわかると思います。背中はオレンジ色、腹部は真っ白です。

そんな小さな体長に比べて、右図のように尾の方が長く約7cmもあります。これは、長いしっぽを葉に巻きつけ、移動するためです。

■最近の調査で、益獣ということが判明

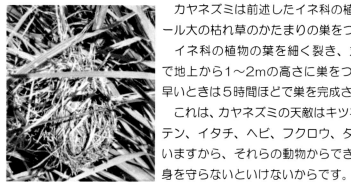

野球ボール大の巣

カヤネズミは前述したイネ科の植物に野球ボール大の枯れ草のかたまりの巣をつくります。

イネ科の植物の葉を細く裂き、丸く編(あ)んで地上から1～2mの高さに巣をつくります。早いときは5時間ほどで巣を完成させます。

これは、カヤネズミの天敵はキツネ、タヌキ、テン、イタチ、ヘビ、フクロウ、タカなど多くいますから、それらの動物からできるだけ早く身を守らないといけないからです。

図 ヨシにつかまるカヤネズミ

カヤネズミは夜行性で食事の行動を観察することが難しいため、これまでくわしい調査が行われてきませんでした。

巣からフンを採取し、分析した平成27年の滋賀県立大学の調査結果から、カヤネズミはほとんどイネを食べず、むしろイネの害になる雑草（イヌビエ、スズメノヒエ）を食べており、害獣でなく、益獣だということがわかりました。寿命はたったの1～2年程度です。

最近は、ヨシ原等の背の高いイネ科植物の群落が減ってきて、生息地がずいぶん減ってきました。したがって、個体数が減少し、絶滅危惧種に指定している県も増えてきました。ちなみに、岐阜県は準絶滅危惧種にしています。

もし、河原などで、このカヤネズミや、その巣を見つけたら近づかないで、そっと見守ってあげてください。

30	巨大なネズミ？ 外来種（帰化動物）のヌートリア
観察場所	中流域～下流域（本流や支流の流れが緩やかな場所）、池

観察のポイント

●変化を追って観察する⇒長期的な時間経過による強い繁殖力に伴う分布拡大の様子を知る。

●他の事象と関連づけて考える⇒人との関わりで侵略的外来種とされた理由と今後のあり方を考える。

■オレンジ色の歯の巨大なネズミ

ヌートリアは草食性の齧歯類（げっしるい：リスやネズミと同じ仲間）です。大きなドブネズミのような体つきで、体長は50～70cm、尾の長さ35～50cm、体重6～9kgで、この仲間では最大です。

耳は小さく、水辺の生活に適応し、後ろ足に水かきがあり５分以上潜水することもできます。陸上での動きはゆっくりですが、泳ぎは得意で、日本では水辺の生活をする唯一の齧歯類です。

図　オレンジ色の歯が目立つ

形態からよく水族館や動物園で飼育されているカピバラと勘違いされます。ヌートリアもカピバラと同じようにおとなしい動物です。

泳ぎが得意なヌートリア

また、上図に見られるように長く鋭いオレンジ色の歯は、ヌートリアの外見上の大きな特徴です。これは、ヌートリアは木などの硬いものをかじるため、歯が頑丈である必要があります。そのため歯に鉄分が含まれており、オレンジ色になるのです。

■強い繁殖力で、侵略的外来種に指定

ヌートリアは、南米原産の外来種（帰化動物）です。日本に明治40年、上野の動物園に初めて持ち込まれたそうです。梶浦氏※によれば、その後昭和５年頃は、毛皮が優れていましたので軍用服毛皮獣として、各地で養殖所ができ盛んに繁殖させていたようです。しかし、終戦と共に需要が減少し、養殖所は相次いで閉鎖されて、その当時養殖されていたものが、野外に放逐され、岐阜県には昭和34年頃に尾張地方から川沿いに侵入し、その後、定着したとのことです。

ヌートリアは、河川の中・下流域や湖沼の流れが緩やかな場所の周辺に、巣穴をつくって繁殖します。繁殖期は定まっていなく、多いときには年間3～4回繁殖し、1回の出産が2～6頭です。子どもは十分に発達してから産まれるため、生後わずか１日後に泳げるようになり、３日目には自分でエサを取り始めます。また半年くらいで性成熟するのです。

毛づくろいの前に前足を洗っている

したがってこの強い繁殖力に加え、特に天敵がいないため個体数が年々増加しているのです。

本来は、夜行性ですが、昼間でもエサを食べているところがよく観察されます。個体数が多いところでは、農作物に対する被害が大きく、特に水辺の近くで栽培されている水田のイネや畑の根菜類被害が甚大です。

そのため『世界の侵略的外来種ワースト100』と『日本の侵略的外来種ワースト100』の両方に選ばれています。したがって、各地で有害鳥獣駆除のため主にワナによる捕獲をしています。　※梶浦敬一：ぎふ哺乳動物研究会

31	ヤマウルシを見分け、気をつけよう
観察場所	上流域～下流域の林縁や林内

観察のポイント

●他のものと比較して観察する⇒よく似たシンジュ、ヤマハゼ、ヌルデと違いを見つけ見分ける。

●変化を追って観察する⇒ヤマウルシの季節での形態の違いを知って、気をつける。

■ウルシオールという油脂成分を分泌する

体質にもよりますが、ヤマウルシに触ると、皮膚に発疹を生じ、かぶれる人が多くいます。これは、ウルシオールという油脂成分によるもので、かぶれ症状も重篤化しやすいので注意が必要です。特に敏感な人の中には、触らなくてもヤマウルシの下を通っただけでかぶれる人もいます。

春にタラノキやコシアブラ、タカノツメの芽を採りに行くと山野でよく見かけるのがヤマウルシの新芽です。

春のヤマウルシの新芽

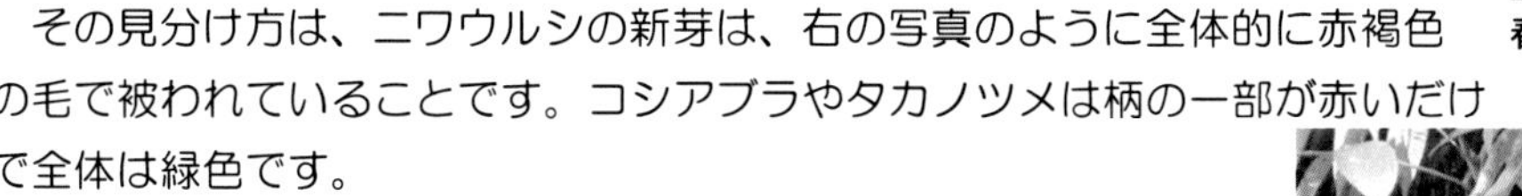

その見分け方は、ニワウルシの新芽は、右の写真のように全体的に赤褐色の毛で被われていることです。コシアブラやタカノツメは柄の一部が赤いだけで全体は緑色です。

中でも一番間違えやすいのがタラノキの新芽です。タラノキの幹にはトゲがありますので、それも区別点の１つになります。

秋に、真っ先に紅葉するのが、このヤマウルシです。あまりにも鮮やかですから、つい枝を採って家に持っていきたくなります。

紅葉が始まると、かぶれの毒性はやや弱まりますが、やはり要注意です。

鮮やかに紅葉するヤマウルシ⇒

■ヤマウルシとそっくり、シンジュ、ヤマハゼ、ヌルデ

ヤマウルシとそっくりな葉のつき方（羽状複葉※）の植物に、シンジュ、ヤマハゼ、ヌルデがあります。この中で、やはりヤマウルシが一番かぶれます。シンジュはニガキ科ですから、まずかぶれません。ヤマハゼとヌルデは、ほとんどの人はかぶれません。しかし同じウルシ科ですから、体質によって、中にはかぶれる方もわずかにいます。葉での見分け方は、下記の図のようになります。

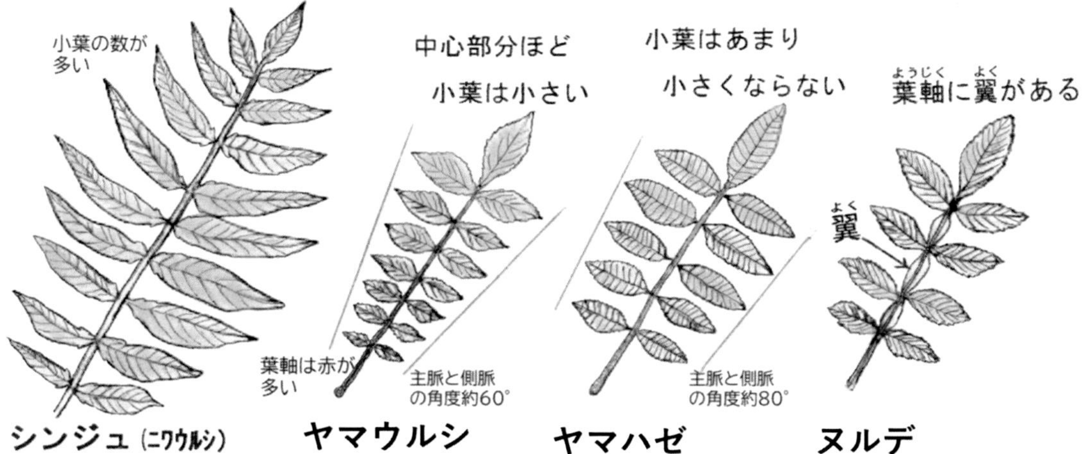

図　羽状複葉の葉によるヤマウルシの見分け方　　※小葉が鳥の羽のようについている葉。

32	自然のままに残っている神秘的な池
観察場所	上流域の池（郡上市白鳥町、村間ヶ池）

観察のポイント

●他のものと比較して観察する⇒平地の身近な池と景観や動植物を比較しながら観察する。

●他の事象と関連づけて考える⇒環境と生き物とを関連づけて自然度の高さを考える。

■大蛇伝説が残っている山の中の神秘的な池

村間ヶ池は、大日ヶ岳南部の斜面の中、標高約７００mに位置する山の中の池です。

池のほとりの解説板によりますと、この池の底に大蛇がすんでいて、鎌を投げ入れたら、暴風雨になり、拾い上げるとたちまちおさまったそうです。そこから鎌などの鉄類を投げてはいけないという大蛇伝説がある神秘的な池です。

池には、流入路と流出路がないため、四季を通じて水の増減が少なく一定しており、干ばつの時でも水が絶えない不思議な池です。これは、大日ヶ岳の裾(すそ)にあることから、おそらく地下水が供給されているのだと考えられます。

池の深さは約４mですが、枯れた水生植物や、池周辺の木々からの落ち葉が池に沈み、底にかなりの幅の泥炭層※ができているそうです。その泥炭層の厚みや水面の深緑色が、池の長い歴史を醸(かも)し出しています。

静寂の中にある村間ヶ池（白鳥町）

■すばらしい自然環境に守られる貴重な生き物たち

静かな長細い池の周囲には、遊歩道があり、シロモジ、コアジサイ、エゾユズリハなどの小低木がぐるりと取り囲んでいます。穏やかな池の水面にはコウホネ、ヒツジグサ、今はほとんどみられなくなった貴重なジュンサイなどの植物が群生しています。

池を取り囲むシロモジやエゾユズリハ

トンボの生息地としてもこの池は有名で、アオイトトンボ、ルリイトトンボなどの姿が確認されています。モリアオガエルなどの両生類、ヘビなどのハ虫類の多く生息するこの池は長良川流域で自然のままに残されているとても貴重な池といえます。

※池の東側の水際の泥炭層の深さ 180cm 以上。

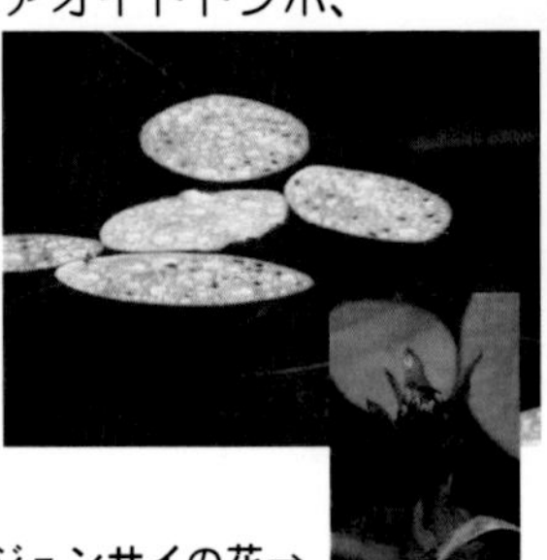

ジュンサイの花→

コウホネの花→

●● コラム

登り落ち漁とアジメドジョウ

登り落ち漁。石を活用して魚の落ちる箱が仕掛けてある（八幡町）

登り落ち漁という漁法があります。浅くて流れの速い場所に河原の石を組み、ビニールシートと板で簡単な堰を作り、その横に箱を仕掛けます。下流から川を遡上してきた魚が板を登ろうと板に沿って進むとこの箱の中に落ちるという仕組みです。長良川では、郡上市から岐阜市まで川の瀬のある場所を眺めてみると、この漁法を見ることができます。

とれた魚（アジメドジョウ、カワヨシノボリ、アカザなど）

登り落ち漁でとれた魚で一番珍重されるのがアジメドジョウで、「味女（アジメ）」ともいわれます。以前はシマドジョウと同一種として考えられていましたが、昭和 12 年に丹羽彌博士により新種として発表された日本固有のドジョウです。浮き石といって、川の中で土砂に埋もれずにゴロゴロしている礫の隙間にすんでいます。礫に付く藻類や水生昆虫を食べます。秋から冬にかけて礫の奥から伏流水が湧き出てくる場所に潜って産卵します。この場所を地元では「アジメ穴」と呼びます。長良川全域の生息状況を潜ったりタモで採集したりして調査していた時に親しくしていただいた穴を探す名人は「伏流水が湧き出る場所は温かいから、冬の川を裸足で歩いて穴を探すのだ」と話されました。穴を教えていただいたときに、アジメドジョウがその穴に入っていく光景に遭遇し感動しました。

河川改修や人間生活で浮き石が土砂に埋もれたり水が汚れたりしないように、いつまでもアジメドジョウのすむ川であり続けてほしいと願っています。

アジメドジョウ

登り落ち漁（白鳥町）

●● コラム

河川の生態系を脅（おびや）かすコクチバスの出現

現在、アメリカ原産のブラックバスが河川や池などに放流されたことで生態系を脅かしています。特定外来生物として指定されているブラックバスは、大きく分けてオオクチバスとコクチバスの２種になります。

両者とも食用や釣り対象魚として大正時代に導入された魚類で、総称として「ブラックバス」と呼んでいるのです。

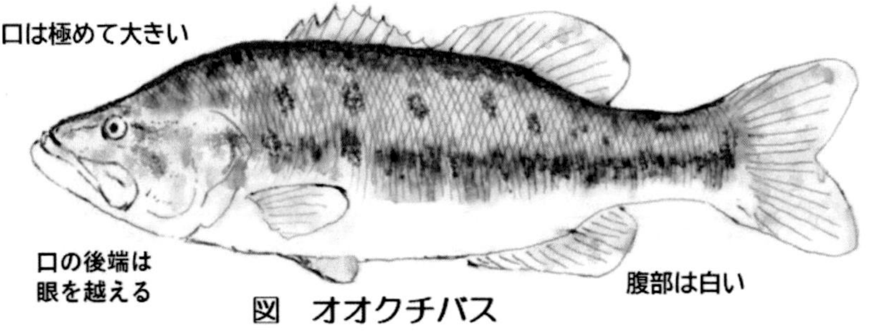

図　オオクチバス

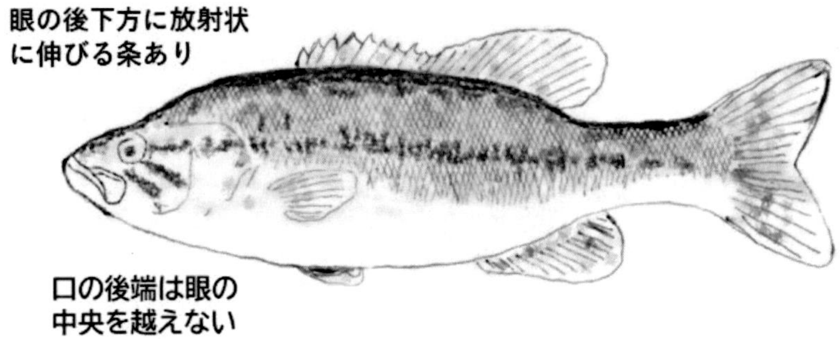

図　コクチバス

形態の違いは上図のように口の大きさ・位置が一番わかりやすい区別点です。

生息域の違いは、オオクチバスは、流れが緩やかで、水温が比較的高い地域の池などを好みます。しかし、コクチバスは流れのある河川に生息していることから、きれいな水質の地域に生息し、オオクチバスよりも寒冷な水域に分布する傾向があります。つまり清流長良川が、コクチバスにとってより良い環境なのです。

2023 年７月に郡上市白鳥町の農業用のため池でコクチバスが発見されました。この池は長良川とつながっています。したがって、さっそく池の水を抜いてコクチバスを駆除する作業が 2023 年 10 月３ 日、次頁の岐阜新聞記事のように郡上市の池で行われたわけです。このコクチバスの駆除作業によって、そのえさとなるワカサギも密放流されていることが新たにわかったのです。

コクチバスのメス１匹当たりの抱卵数は 5,000 ～ 14,000 個であり、体サイズの大きなメスほど多くの卵を産むといわれ、その繁殖力は、驚異的です。

現在､アユを含む在来魚など生態系への影響が懸念されているため､県と流域の市や漁協が､｢外来魚コクチバスのリリース禁止｣をポスターやＨＰで呼びかけたり､実際に買い取ったりして､『特定外来生物』のコクチバスの調査と駆除を進めています。

コクチバス発見の池で水抜き駆除

餌の魚も密放流か

長良川の鮎への脅威が見込まれる肉食性の特定外来生物「コクチバス」が木曽三川で相次いで見つかっている問題で、郡上市白鳥町中西の「西坂ため池」で3日、全ての水を抜いて駆除する「かい掘り」が行われた。今年5月に本流で生息が確認されて以降では初の実施。餌として一緒に放たれたとみられるワカサギ17匹も新たに見つかり、密放流者の計画性が浮き彫りになった。（堀尚人）

郡上市

県が確認「常とう手段」

西坂ため池は最大貯水量9万8千立方㍍の農業用で、今年7月に匿名の通報で生息が発覚した。用水路と支流を通じて3㌔先の長良川につながっており、農閑期を待ってかい掘りに踏み切った。

先月18日から水抜きを始めた約2㌶の池は、高さ13㍍あった水位がほぼ干上がり底が見えた状態に。たまった魚を網で捕らえ、ポンプで残り水を排出した。

魚の内訳は、上流域の在来種がタカハヤ20匹、カワムツ4匹にとどまった一方で、コクチバスは体長42㌢の成魚を含む74匹が見つかった。7月以降にこの池で駆除された総数は673匹に達し、うち4歳以上が16匹で、これを親魚として昨年と今春で一気に増殖したとみられる。「2年で池が占拠される状況に追い込まれるのに驚いた」と県水産振興室の桑田知宣室長。

一緒に見つかった国内外来種のワカサギは、雪深い白鳥の気候に合わせ、密放流したとみられる。「餌になる魚を一緒に放つのが常とう手段。水温が低いところで育つワカサギを選んでおり、（密放流者は）かなり知識のある者だろう」と推測した。

作業は漁業組合関係者、県と市の職員ら約60人が参加。立ち会った白滝治郎郡上漁協組合長によると、今夏の友釣りや網漁の解禁後も長良川での捕獲の報告はない。「川で増えている段階ではないが、もし出たらすぐに駆除できる態勢を取りたい」と話した。

県は長良川流域のため池やダム湖など止水域の17カ所で調査を進めており、すでに見つかっている美濃市の天池でもかい掘りを実施する予定。

かい掘りで捕らえられたコクチバス＝3日午前10時半、郡上市白鳥町中西、西坂ため池

コクチバス駆除のため水が抜かれた農業用ため池＝3日午後、同（本社小型無人機から）

コクチバスの岐阜新聞記事
（2023 年 10 月 4 日付）

かい掘りで捕らえたコクチバス→
（白鳥町中西ため池）岐阜新聞 Web より

自然観察編

●● 7

自然観察編　自然の変化をじっくりと見つめよう

～比較、変化、関係づけのパターンから自然事象を把握してどんな自然認識ができるでしょう～

令和３年３月から、月に２～３回、長良川の最上流から下流まで、場所を決めて撮影を継続しました。東海北陸自動車道でひるがの高原ＳＡからひるがの湿原まで出て、最上流の分水嶺公園から下流まで20カ所の定点とその周辺の自然景観の撮影をしました。掲載した月日以外にも、天気の変化や逆光などの撮影状況によって、一部、１～２日後に撮影したものもあります。

１．高速道路の桜の変化

東海北陸自動車道のどのＳＡにも桜の木は植えられています。「高速道路の桜前線」という看板も設置されている場所もあります（ぎふ大和PAの看板です）。長良川に出るまでに、長良川ＳＡ、瓢ヶ岳ＳＡ、ぎふ大和PA、ひるがの高原ＳＡにある桜の木を撮影することにしました。Ｐ104、105は１～２週間ごと、Ｐ106、107は１～２カ月ごとに紹介します。開花は早く温かくなる南の方（長良川ＳＡ）から、紅葉は早く寒くなる北の方（ひるがの高原ＳＡ）から始まっていく様子が分かります。

２．長良川の桜の変化

定点撮影した中の８カ所について１．と同じ月日の変化を紹介します。郡上市高鷲町正ケ洞→郡上市白鳥町白山長滝→郡上市大和町栗巣川合流点→郡上市美並町深戸駅付近（Ｐ108～111）→美濃市新美濃橋下流→関市千疋大橋上流→岐阜市藍川橋下流→羽島市桑原川合流点下流（Ｐ112～115）です。１．と同様、桜の花は下流から始まり、紅葉は上流から始まることが分かります。また、１．２．にもいえることですが、桜だけでなく、周囲の自然環境も場所ごとに、そして、季節ごとに変化していることも分かります。

３．ひるがの周辺の自然の変化

桜以外にも、いろいろな自然景観の変化を撮影することができました。ここでは、ひるがの周辺の「ＳＡからの大日ケ岳の展望」、「分水嶺公園」、「夫婦滝」、「あやめ沢湿原」の４カ所で雪の残る３月から紅葉の11月までの季節の変化を１～２カ月ごとに紹介します（Ｐ116～119）。自然景観が、どのように変化していくでしょうか。

４．平常時と増水時の自然の変化　＝増水の写真は、令和２年７月17日撮影＝

長良川の平常時と増水時の写真です。夫婦滝（郡上市高鷲町）、牛道川合流点（郡上市白鳥町）、栗巣川合流点（郡上市大和町）、吉田川合流点（郡上市八幡町）、亀尾島川合流点上流（郡上市八幡町）、粥川合流点（郡上市美並町）、板取川合流点（美濃市）、津保川合流点（関市、岐阜市）の８カ所を紹介します（Ｐ120～121）。水量だけでなく、水の色や周囲の自然景観の違いなどが分かります。

５．夏と冬の自然の比較

撮影した写真の中から夏（8月22日）と冬（12月20日）を比較してみました（Ｐ122～124）。いろいろな自然景観の違いが比較して観察できます。

3月22日

1.高速道路の桜の変化

3月29日

ひるがのSA

大和SA

瓢ヶ岳SA

長良川SA

4月14日
4月20日
ひるがのSA
大和SA
瓢ヶ岳SA
長良川SA

6月15日
8月 7日
ひるがのSA
大和SA
瓢ヶ岳SA
長良川SA

10月10日
11月13日
ひるがのSA
大和SA
瓢ケ岳SA
長良川SA

2.長良川の桜の変化

3月22日

3月29日

高鷲町正ケ洞

白鳥町白山長滝

大和町栗巣川合流点

美並町深戸駅付近

4月14日	4月20日	
		高鷲町正ケ洞
		白鳥町白山長滝
		大和町栗巣川合流点
		美並町深戸駅付近

6月15日
8月　7日
高鷲町正ケ洞
白鳥町白山長滝
大和町栗巣川合流点
美並町深戸駅付近

10月10日
11月13日
高鷲町正ケ洞
白鳥町白山長滝
大和町栗巣川合流点
美並町深戸駅付近

	3月22日	3月29日
美濃市新美濃橋下流		
関市千足大橋上流		
岐阜市藍川橋下流		
羽島市桑原川合流点下流		

4月14日

4月20日

美濃市新美濃橋下流

関市千疋大橋上流

岐阜市藍川橋下流

羽島市桑原川合流点下流

6月15日
8月　7日
美濃市新美濃橋下流
関市千足大橋上流
岐阜市藍川橋下流
羽島市桑原川合流点下流

10月10日
11月13日
美濃市新美濃橋下流
関市千足大橋上流
岐阜市藍川橋下流
羽島市桑原川合流点下流

3.ひるがの周辺の自然の変化

3月23日　　4月27日

ひるがのSA~大日ケ岳

ひるがの 分水嶺公園

ひるがの 夫婦滝

ひるがの あやめ沢湿原

5月26日	6月15日	
		ひるがのSA～大日ケ岳
		ひるがの 分水嶺公園
		ひるがの 夫婦滝
		ひるがの あやめ沢湿原

	7月17日	9月10日
ひるがのSA～大日ケ岳		
ひるがの 分水嶺公園		
ひるがの 夫婦滝		
ひるがの あやめ沢湿原		

10月16日	11月13日	
		ひるがのSA~大日ケ岳
		ひるがの 分水嶺公園
		ひるがの 夫婦滝
		ひるがの あやめ沢湿原

4.平常時と増水時の自然の変化

夫婦滝

牛道川合流点

栗巣川合流点

吉田川合流点

亀尾島川合流点上流
粥川合流点
板取川合流点
津保川合流点

5.夏と冬の自然の比較

	8月22日	12月20日
ひるがの高原SA		
大和PA		
瓢ヶ岳PA		
長良川SA		

8月22日
12月20日
ひるがの 夫婦滝
牛道川合流点
白鳥町白山長滝
大和町栗巣川合流点

8月22日
12月20日
郡上市亀尾島川合流点
関市千疋大橋上流
岐阜市藍川橋下流
羽島市桑原川合流点下流

長良川最上流のひるがの湿原では、毎年、多くの水芭蕉が見られます。次の４枚の写真は令和３年３、４、５、11月に撮影したあやめ沢湿原の写真です。花が終わるとすぐに葉が大きく成長し、秋には枯れて小さな葉が出ていることが分かります。

3月23日　ひるがの　あやめ沢湿原の水芭蕉の季節変化　4月20日

5月26日　花が咲き葉が枯れるとすぐに芽を出して雪の下に　11月14日

下の２枚は、この年の12月20日に撮影した同じ場所の写真です。

水芭蕉は、雪の下で、小さな葉の形で春を待ちます。そして、雪解けとともに成長して、湿原を埋め尽くすほどに花を咲かせます。しかし、湿原の陸地化で減少してきました。

今回は、長良川を中心に自然を観察しましたが、それぞれの季節の中で、動物や植物、気象現象や人間と自然が関わる様子などをみることができました。

これからも、長良川とともに、周辺の自然や人間と自然との関わりなどについて、季節ごとに観察し続けていきたいと思います。

●● コラム

「日本三大清流」を訪ねる

「日本三大〇〇」という言葉をよく耳にします。客観的なデータによってランク付けられたものもありますが、有名なものの虎の威を借りて宣伝に活用しようとして作られたり、ある特定の人の嗜好や評価基準によって恣意的に決められたりと、どうも選定基準があいまいなものが多いようです。

長良川は、高知県の四万十川や静岡県の柿田川とともに「日本三大清流」と呼ばれることがあります。長良川の全長は 166km、四万十川の全長は 196km。これに対して、柿田川の全長はわずか 1.2km。本来ならとても同じ土俵で比較できる対象であるとは思えません。

なぜ「三大清流」なのか、自分なりに納得のいく理由を求めて、四万十川と柿田川を訪れました。

◆四万十川

四万十川は、高知県の西部を蛇行しながら大きく逆 S 字のように流路をとり、下流の四万十市街地を除いて河口までのほぼ全域で山間部を流れます。

実際に訪れてみると、川岸が護岸工事のブロックなど人工構造物からなる部分は極めて少なく、透きとおった水と、その両岸に迫る山々とが一体となった美しい自然景観が連続し、河口までおだやかに悠然と流れていました。魚類も豊富で、河口に生息する「アカメ」の存在も強いインパクトがあります。

流域には四万十川の代名詞とも言える沈下橋が至る所にかかり（本流だけで 22 カ所、支流を含めると全部で 47 カ所）、コンクリートの素朴な橋が四万十川の景観に見事にマッチしていました。本流にダムがないことも「清流」であることの誇り高き所以でありますが、ダムがない本来の清流がつくる「私たちが忘れかけていた日本の里山の原風景」を強烈に心に焼き付けて満喫させてくれる、そんな圧倒的な魅力を感じずにはいられませんでした。

四万十川と沈下橋（中流部）

四万十川と沈下橋（中流部）

◆柿田川

柿田川は、静岡県清水町の柿田川公園内の大量の湧水を水源として狩野川に合流する、全長わずか 1.2km の川です。湧水は富士山からの伏流水で、柿田川そのものが柿田川湧水群として旧環境庁による名水百選に選定されています。

柿田川公園内には湧水群が観察できる展望台が設けられていて、透き通った大量の水が川底の砂礫を押し上げながら湧き出す様子を目の当たりにすることができます。

実は、かつて、柿田川の湧水を工業用水として利用するために、周辺に多くの工場が進出し、魚もすめないほど水質が悪化した時期がありました。そうした状態を改善しようと、地元住民などの有志によるナショナルトラスト運動が始められ、土地を買い取ることによる自然保全の活動が展開されてきました。現在、湧水地と川全体がきれいに保全されているのは、その成果によるものです。湧水地内には、かつての工場が工業用水を汲み上げていた井戸の跡の円いコンクリートが点在し、神秘的で青く美しい水をたたえていました。

柿田川は､私たちが学校で習った「上流から下流まで存在する」ような川のイメージとは程遠く､大量の湧水を狩野川まで運び込む大きな「水路」のように思えました。柿田川が日本三大清流と呼ばれるのは、「美しい伏流水が大量に湧き出して流れ出す」という貴重な自然現象そのものであることと共に、市民による自然保全活動の象徴的な存在であることが大きな理由ではないかと考えます。

柿田川の湧水（かつての工場の井戸跡）

きれいな湧水が大量に流れる柿田川

◆**長良川**

長良川の魅力は、本編で十分に理解していただいたのではないかと思います。

大きく蛇行しながらゆったりと流れる四万十川に対して、長良川は、高低差が大きく、直線的に勢いよく流れます。四万十川が「静的」なイメージの川であるとすれば、長良川はどちらかと言うと「動的」なイメージの川であるように思えます。

長良川の特徴は、何と言っても、大きな河川であるにも関わらず、水がきれいであることでしょう。40万都市の真ん中を流れる河川が、これほど透明感のあるきれいな水を湛えている姿は、まさに「清流」と呼ぶにふさわしいと言えましょう。

長良川中流域

金華山と長良川（鵜飼が行われる場所）

景観的には、長良川は谷底平野や広い沖積平野の人里を流れるため、流域全体で護岸工事によるブロックや堤防で囲まれ、四万十川と比較すると人工構造物の割合が大きい川となっています。しかし、川岸には美しい川原や河川敷が発達し、水遊びや釣り人を誘う親水的な川となっています。

アユやサツキマスをはじめとする豊富な生き物や自然、鵜飼に代表される川の文化など、川が発信する清流のインパクトは、四万十川に勝るとも劣りません。

長良川、四万十川、そして柿田川。「日本三大清流」を訪れてみたイメージを書き綴りましたが、いずれの川も全国的な知名度が高く、観光地としてもよく知られています。現地を訪れると、圧倒的なインパクトで強烈に心に焼き付けられる風景や文化に出くわすことができます。

みなさんも3つの川を訪れて、自分なりに「日本三大清流」の妥当性を検討してみてはいかがでしょうか。

●● コラム

長良川を音楽で表現すると……　交響詩『長良川』が奏でる美しい世界

自然科学を専門とする私たちは、本編において、長良川を言葉や写真を用いてより客観的に伝えることをめざしてきましたが、とてもそのすばらしさを表現しきれるものではありません。これに音楽や絵画といった芸術の力が加わればどうでしょうか。長良川の魅力も一層引き立てられるに違いありません。

長良川を音楽で表した作品に、交響詩『長良川』（ソプラノ・ソロと管弦楽のための長良川）があります。これは、岐阜県交響楽団が團伊玖磨氏に委嘱して、1976年に作曲された作品です。

團氏は初演時のメッセージとして、「この独唱と管弦楽による二楽章の音楽は、歴史を潜り抜け、今なお鵜飼とその流れの美しさをもって日本中の人々に愛されている長良川の賛歌である」という言葉を残しています。まさに、清流長良川の美しさと、長良川が育んできた文化のすばらしさを讃えた曲であるといえます。

最近では、令和5年6月に岐阜県交響楽団の創立70周年記念公演で演奏会され、好評を博しました。

日本中の人々に愛されている長良川が、音楽としてどのように美しく奏でられているのか、チャンスがあったらぜひ聴いてみてはいかがでしょうか。

●●● 8

あとがき

この『長良川学習』の本を手にとってくださり、「あとがき」まで読み進めていただきましたことに、心より感謝いたします。

この本と共に長良川というフィールドへ出かけられ、自然の学習を進められたみなさん、清流長良川の美しい自然はいかがでしたでしょうか。源流から河口付近まで、水と大地と生き物とが織りなす豊かな自然の様相が次々と変化していく姿をご覧になられたことと思います。そこで出合った姿こそが長良川の真実であり、自然の真実です。

ぜひまた違う季節に訪れてみてください。長良川の景色も季節の変化と共に衣替えをし、私たちを楽しませてくれるに違いありません。

自然を観察するときには、本書でも紹介しましたように、

●比較観察：他のものと比較して観察する

●関連づけ：他の事象と関連づけて考える

●変化：時間を追って観察する

という、自然事象を観察するときに大切にしたい「科学的スキルの３つのパターン」で把握して、確かな自然認識をしてください。

本書において、長良川のすばらしさを精一杯伝えたいという思いから、日本最後の清流と謳われる高知県の四万十川を訪れて、両者を比べてみるという旅を試みました。なるほど、四万十川も自然が豊かで、すてきな川でした。穏やかな流れとそこに架かる沈下橋とが、まるで絵画のような物静かな風景を作りあげていました。そんな中で、長良川は格段に川原が美しいことや、上流から下流への流れ方の変化が激しいこと、流域に集まるように人がたくさん暮らしているのに美しい水を湛えていることなどにあらためて気づくことができました。そして、日本を代表する清流であることを再認識することができました。

長良川の美しい自然を後世に残せるよう、多くの人が関心をもっていただくために、本書が教育の場や自然啓発書として活用されることを願ってやみません。

令和６年１月
小椋郁夫・井上好章・古田靖志

表紙写真　上から　ひるがの分水嶺公園→八幡町登り落ち漁→亀尾島川合流点上流→長良川鵜飼→金華橋下流→長良川河口堰
裏　上から　ひるがの湿原の水芭蕉、長良川沿いの桜（白鳥町白山長滝→美並町深戸→千疋大橋上流→桑原川合流点下流）

参考文献

【地学編】

・伊藤安男著(2010)『洪水と人間ーその相剋の歴史ー』　古今書院
・小椋郁夫著(2019)『身のまわりの自然 ちょっぴりくわしく見てみよう』岐阜新聞社
・小椋郁夫ほか(2017)パターン把握を通して環境リテラシーを高める現職教員研修プログラム 科学研究費助成事業研究成果報告書
・海津正倫著(1994)『沖積低地の古環境学』　古今書院
・木曽川水系流域委員会編 木曽川水系の流域及び河川の概要(参考資料)
・岐阜県郷土資料研究協議会複製(1998)大日本帝国陸地測量部明治 24 年測図二万分の一地形図
・岐阜大学長良川研究会著(1979)『長良川』　三共出版
・国土交通省木曽川下流河川事務所 HP「木曽三川の概要」(2021 年 9 月閲覧)
・産業技術総合研究所 HP「地質図 NABI」(2021 年 9 月閲覧)
・独立行政法人水資源機構長良川河口堰管理所 HP「木曽三川の洪水と治水の歴史」(2021 年 9 月閲覧)
・『にっぽん川紀行 11 号 長良川』(2004)　学習研究社
・古田靖志(2018)美しい長良川の川原で礫の真実に迫る　地学教育 71 巻 2 号 p. 45-46
・古田靖志・古田華(2017)長良川の川原の礫についての新知見 郷土資料研究 127 号 p.14-16

【生物編】

・岐阜県(2001)『岐阜県の絶滅のおそれのある野生生物 2001』
・岐阜市(2015)『岐阜市の注目すべき生きものたち(岐阜市版レッドリスト・ブルーリスト 2015)』
・岐阜市 (2016) 『岐阜市の自然情報～岐阜市自然環境基礎調査～』
・自然学総合研究所(2000)『岐阜市の自然ー身近な自然を歩こうー』　岐阜市
・熊谷さとし(2010)『哺乳類のフィールドサイン観察ガイド』　文一総合出版
・新開孝(2016)『虫のしわざ観察ガイド』　文一総合出版
・児玉浩憲(2009)『生態系のふしぎ』　クリエイティブ株式会社
・子安和弘(2000)『森の動物出会いガイド』　ネイチャーネットワーク
・高田勝・叶内拓也(2008)『野鳥の羽ハンドブック』　文一総合出版
・刈田敏三(2010)『水生生物ハンドブック』　文一総合出版
・ミュージアムパーク茨城県自然博物館(2003)『飯沼川周辺の自然を調べよう』
・滋賀県小・中学校教育研究会理科部会(1991)『滋賀の水草』
・伊自良村教育委員会(2002)『21 世紀の贈りものー伊自良村の自然ー』
・浜島繁孝・須賀瑛文(2005)『ため池と水田の生き物図鑑 植物編』　トンボ出版
・埼玉県環境科学国際センター HP『田んぼの鳥サギ類』(2021 年 9 月閲覧)
・環境省 HP『カワウとウミウの見分け方』(2021 年 9 月閲覧)
・岐阜県 HP『ニホンジカの生息状況等』(2021 年 9 月閲覧)
・環境省 HP『オオサンショウウオ』(2021 年 9 月閲覧)

【協力機関】

・岐阜県、岐阜市、岐阜県博物館、世界淡水魚園水族館アクア・トトぎふ、岐阜新聞社

著者紹介

■ 小椋 郁夫（おぐら いくお）

名古屋女子大学文学部児童教育学科教授。県内の小中学校や教育委員会などに勤務。関市立武儀中学校長、岐阜県伊自良青少年自然の家所長、岐阜市立梅林小学校長などを歴任し現在に至る。ほかに、日本生物教育学会会員、岐阜県環境影響評価審査会委員、岐阜県野生生物保護推進員など。文部科学省関係では、中央教育審議会初等中等教育分科会教育課程部会中学校部会委員などを歴任。

【著書】『身のまわりの自然 ちょっぴりくわしく見てみよう』岐阜新聞社
『岐阜県の魚類の現状と今後―岐阜の河川に魚をふやそう―』（共著）岐阜新聞社
『児童教育論集 第４号（共著：自然のパターン把握により、深い学びができる野外学習の指導と評価のあり方―河川の上流・中流・下流の学習を通して―)』三恵社
『教育・保育の論点 新時代の学び（共著：理科における「主体的な学び」の指導と評価）』三恵社
『児童教育論集 第５号（共著：理科における「対話的な学び」の指導と評価』三恵社 他

■ 井上 好章（いのうえ よしあき）

中部学院大学非常勤講師。岐阜県小学校教諭、岐阜県博物館植物担当学芸員、岐阜県博物館学芸専門職、不破郡垂井東小学校長、各務原市立蘇原第二小学校長などを歴任し現在に至る。ほかに、岐阜県環境影響評価審査会委員、岐阜県植物研究会役員、岐阜県自然観察指導員連絡会世話役、岐阜県博物館友の会理事など。

【著書】『薬草のふるさと伊吹』岐阜県博物館
『すばらしき東濃の自然』岐阜県博物館
『野の幸、山の幸、岐阜』岐阜県博物館
『続・芥見郷土誌、生物の章』芥見自治連合会（分担執筆）他

■ 古田 靖志（ふるた やすし）

岐阜聖徳学園大学教職教育センター勤務。岐阜大学教育学部附属小学校教諭、岐阜県博物館地学担当学芸員、岐阜県先端科学技術体験センター地学担当、岐阜市立黒野小学校長などを歴任して現在に至る。ほかに、下呂発温泉博物館名誉館長、日本温泉科学会監事・評議員、日本温泉地域学会理事など。

【著書】『温泉学入門』コロナ社刊（共著）
『日本温泉地域資産』日本温泉地域学会刊（共著）
『温泉展－湯の華からのメッセージ－』岐阜県博物館
『水と大地のハーモニー』岐阜県博物館
『図説 日本の温泉 170温泉のサイエンス』朝倉書店刊（分担執筆）他

長良川学習　美しい長良川で自然を学ぶ

発行日　2024年２月26日
著　者　小椋郁夫・井上好章・古田靖志
発　行　株式会社岐阜新聞社
編集・制作　岐阜新聞社読者事業局出版室
〒500-8822 岐阜市今沢町12
岐阜新聞社別館４階
058-264-1620（出版室直通）
印　刷　岐阜新聞高速印刷株式会社

価格はカバーに表示してあります。
落丁本・乱丁本はお取り替えします。

ISBN 978-4-87797-332-2